PRINCESSE PATTE-EN-L'AIR

DU MÊME AUTEUR

Dans la même collection :

Laissez tomber la fille.
Les souris ont la peau tendre.
Mes hommages à la donzelle.
Du plomb dans les tripes.
Des dragées sans baptême.
Des clientes pour la morgue.
Descendez-le à la prochaine.
Passez-moi la Joconde.
Sérénade pour une souris défunte.
Rue des Macchabées.
Bas les pattes.
Deuil express.
J'ai bien l'honneur de vous buter.
C'est mort et ça ne sait pas.
Messieurs les hommes.
Du mouron à se faire.
Le fil à couper le beurre.
Fais gaffe à tes os.
A tue... et à toi.
Ça tourne au vinaigre.
Les doigts dans le nez.
Au suivant de ces messieurs.
Des gueules d'enterrement.
Les anges se font plumer.
La tombola des voyous.
J'ai peur des mouches.
Le secret de Polichinelle.
Du poulet au menu.
Tu vas trinquer, San-Antonio.
En long, en large et en travers.
La vérité en salade.
Prenez-en de la graine.
On t'enverra du monde.
San-Antonio met le paquet.
Entre la vie et la morgue.
Tout le plaisir est pour moi.
Du sirop pour les guêpes.
Du brut pour les brutes.
J'suis comme ça.
San-Antonio renvoie la balle.
Berceuse pour Bérurier.
Ne mangez pas la consigne.
La fin des haricots.
Y a bon, San-Antonio.
De « A » jusqu'à « Z ».
San-Antonio chez les Mac.
Fleur de nave vinaigrette.
Ménage tes méninges.
Le loup habillé en grand-mère.
San-Antonio chez les « gones ».
San-Antonio polka.
En peignant la girafe.
Le coup du père François.
Le gala des emplumés.
Votez Bérurier.
Bérurier au sérail.
La rate au court-bouillon.
Vas-y Béru !
Tango chinetoque.
Salut, mon pope !
Mange et tais-toi.
Faut être logique.
Y a de l'action !
Béru contre San-Antonio.
L'archipel des Malotrus.
Zéro pour la question.
Bravo, docteur Béru.
Viva Bertaga.
Un éléphant, ça trompe.
Faut-il vous l'envelopper ?
En avant la moujik.
Ma langue au Chah.
Ça mange pas de pain.
N'en jetez plus !
Moi, vous me connaissez ?
Emballage cadeau.
Appelez-moi, chérie.
T'es beau, tu sais !
Ça ne s'invente pas.
J'ai essayé : on peut !
Un os dans la noce.

Les prédictions de Nostrabérus.
Mets ton doigt où j'ai mon doigt.
Si, signore.
Maman, les petits bateaux.
La vie privée de Walter Klozett.
Dis bonjour à la dame.
Certaines l'aiment chauve.
Concerto pour porte-jarretelles.
Sucette boulevard.
Remets ton slip, gondolier.
Chérie, passe-moi tes microbes !
Une banane dans l'oreille.
Hue, dada !
Vol au-dessus d'un lit de cocu.
Si ma tante en avait.
Fais-moi des choses.
Viens avec ton cierge.
Mon culte sur la commode.
Tire-m'en deux, c'est pour offrir.
A prendre ou à lécher.
Baise-ball à La Baule.
Meurs pas, on a du monde.
Tarte à la crème story.
On liquide et on s'en va.
Champagne pour tout le monde !
Réglez-lui son compte !
La pute enchantée.
Bouge ton pied que je voie la mer.
L'année de la moule.
Du bois dont on fait les pipes.
Va donc m'attendre chez Plumeau.
Morpions Circus.
Remouille-moi la compresse.
Si maman me voyait !
Des gonzesses comme s'il en pleuvait.
Les deux oreilles et la queue.
Pleins feux sur le tutu.
Laissez pousser les asperges.
Poison d'Avril, ou la vie sexuelle de Lili Pute.
Bacchanale chez la mère Tatzi.
Dégustez, gourmandes !
Plein les moustaches.
Après vous s'il en reste, Monsieur le Président.
Chauds, les lapins !
Alice au pays des merguez.
Fais pas dans le porno...
La fête des paires.
Le casse de l'oncle Tom.
Bons baisers où tu sais.
Le trouillomètre à zéro.
Circulez ! Y a rien à voir.
Galantine de volaille pour dames frivoles.
Les morues se dessalent.
Ça baigne dans le béton.
Baisse la pression, tu me les gonfles !
Renifle, c'est de la vraie.
Le cri du morpion.
Papa, achète-moi une pute.
Ma cavale au Canada.
Valsez, pouffiasses.
Tarte aux poils sur commande.
Cocottes-minute.

Hors série :

L'Histoire de France.
Le standinge.
Béru et ces dames.
Les vacances de Bérurier.
Béru-Béru.
La sexualité.
Les Con.
Les mots en épingle de San-Antonio.
Si « Queue-d'âne » m'était conté.
Les confessions de l'Ange noir.
Y a-t-il un Français dans la salle ?
Les clés du pouvoir sont dans la boîte à gants.
Les aventures galantes de Bérurier.
Faut-il tuer les petits garçons qui ont les mains sur les hanches ?
La vieille qui marchait dans la mer.
San-Antoniaiseries.

Œuvres complètes :

Vingt-deux tomes parus.

PRINCESSE PATTE-EN-L'AIR

Un chef-d'œuvre de plus de

SAN-ANTONIO

FLEUVE NOIR

ISBN 2-265-04325-7
ISSN 0768-1658

A Georges Wolinski,

mon complice,
mon illustre.

Affectueusement,

SAN-A.

Les hommes ont bien raison de réclamer la Légion d'honneur. Sinon, personne ne la leur proposerait.

Nous vivons dans une société où il faut faire valoir ses mérites. Surtout quand ils sont évidents.

Il était à son aise, comme un gonocoque dans une chaude-pisse.

Fais toujours chier tes subalternes, sinon ils sont déçus.

PREMIÈRE PARTIE

FLUVIO

CINOCHE

C'est un couple au cinéma.

Il est venu voir *Figure de fifre,* une comédie si légère qu'elle s'envole.

Le monsieur du couple a une allure cadre très supérieur à la moyenne. Veste de touide avec du daim aux coudes et aux revers, chemise vert d'eau, cravate Cerruti chamarrée. L'élégance selon saint Jean. Brun, la quarantaine sérieuse. Il se parfume à l'Eau Sauvage.

Sa compagne est une frangine réellement sublime. Longue, mince, blonde, des formes exquises, une bouche à dire des choses suaves et à tailler des pipes plus suaves encore. Pour le cinoche, elle met des lunettes à monture Cartier qui lui vont au poil ! Elle porte une robe imprimée avec une exquise jaquette grège mijotée par Saint-Laurent-du-Var.

La rangée derrière eux est presque vide parce que le cinoche, je sais pas si t'as remarqué : ça moule à tout berzingue. Les mirontons préfèrent rester *at home* regarder la « Roue de l'Infortune » ou bien... un film, justement ! Pourquoi veux-tu qu'ils rentrent dans leurs godasses et se traînent la couenne en ville pour visionner ce qu'on leur programmera à la télé l'année prochaine au plus tard ? Les producteurs de films se sont suicidés en permettant au public télévisuel d'obtenir gratuitement ce qu'ils font payer dans les salles. Leur drame c'est qu'ils cavalent toujours après une pincée d'osier pour pouvoir différer la faillite. Un peu de fraîche en perspective et ils suintent. Ils filent leur gerce en prime !

Mais, bref, c'est pas l'objet de cette œuvre de qualité ; moi j'ai ma propre merde.

Deux types se pointent, juste que les loupiotes de la salle commencent à baisser. Ils s'engagent dans la rangée vide. C'est des mecs désinvoltes ; un peu crades sur les bords mais pas trop. La barbe inrasée de huit jours. Sweat-shirt portant en gros caractères un nom d'université ricaine, se donner l'air intello.

Parvenus derrière le couple, l'un d'eux se penche sur l'homme. Il lui dit :

— Je m'excuse, je viens de faire tomber ma montre de votre côté.

Le type est complaisant car il s'incline pour mater à ses pieds. Le gars profite de l'embellie et lui assène une manchette très sèche sur la nuque. L'homme bascule sur le côté.

Pendant ce temps, avec un synchronisme admirable, son pote s'est penché sur la femme et lui a saisi le visage à deux mains. Il murmure :

— Permettez...

Et il lui roule une pelle fourrée. Une terrible, avec la menteuse engagée à l'extrême et qui lui frétille dans l'embrasure. Sa dextre caresse la poitrine ferme de la femme. Bien entendu, elle insurge, rebuffe, tente de crier. Mais va gueuler, toi, avec cet organe charnu, truffé de bourgeons sensoriels, dans la clape. D'autant que ça l'étouffe, la pauvrette, un bras morcif de ce calibre.

Le gars retire sa langue pour chuchoter à l'oreille de la nana :

— Je t'attendrai demain à quinze heures pile devant le perron de l'Opéra, et je te ferai tellement jouir que tu ne te rappelleras même plus ton nom ; pense à amener une serpillière.

Pendant qu'il parle, il tient sa main plaquée sur la bouche de sa victime, et ajoute :

— N'oublie pas de venir, sinon je raconterai aux médias ta soirée du 28 janvier.

Il la lâche. Les deux mecs quittent la travée, puis la salle, sans tellement se presser.

Le générique de *Figure de fifre* se déroule. On l'a traité en dessin animé.

C'est ce qu'il y a de meilleur dans le film.

VISITE

Bérurier déclare, l'air abattu :

— C'est chié, la langue française !

Nous le considérons avec surprise. L'association Béru-langue française est difficile à concevoir. Très antinomiques, leurs rapports.

Il ajoute, comme pour énoncer une preuve indiscutable :

— Le corbeau croasse, la grenouille coasse et le serbo croate ; faut s'y r'trouver dans tout ça, vous y parviendez, vous aut' ?

Son regard pourpre nous prend à témoin de cette inextricabilité du vocabulaire. A croire qu'il lui a été mijoté une vacherie, comme si les mots qu'il vient de citer étaient des pièges conçus pour lui seul, donc (des pièges à con !).

Nous nous apprêtons à le réconforter lorsque mon bigophone se met à interpréter « Décrochez-moi, ça urge ! »

— Quelqu'un est en bas, qui demande après vous, monsieur le commissaire, déclare le préposé. Un certain M. Octave Laburne. Paraît qu'il est chef d'atelier au garage où vous entretenez votre Maserati. Il voudrait vous parler d'une chose n'ayant rien à voir avec votre voiture.

— Qu'il monte ! réponds-je, surpris.

Je vais à la rencontre de Laburne, dans le couloir. Un zig drôlement sympa. Tellement passionné de bagnoles que lorsqu'il quitte son garage, c'est pour aller retaper des vieilles Lancia dans le sien. Il a le vice Lancia, cézigue. Chez d'autres c'est M.G., Porsche ou Ferrari, lui, il ravaude des ruines qu'un ferrailleur négligerait.

Il approche de la cinquantaine, avec une barbe un peu poivre et très sel, un regard clair et franc. Il a posé sa blouse kaki à écusson, et le voilà en veste de cuir craquelé dont les revers frisent comme de la chicorée.

— Je vous dérange, m'sieur Antonio ?

— Jamais, Octave. Des problèmes ?

— De conscience, précise-t-il.

— Ce sont les plus beaux. Racontez-moi ça.

Je le pousse dans une pièce neutre qui sert de salon d'attente à l'occasion. On y trouve un vieux canapé de cuir, style anglais-Barbès, très classe ; juste il s'effondre un peu sur le côté quand on s'y assoit, mais à part ça, il assure le standing de la Grande Maison.

Laburne paraît embarrassé.

— J'aurais probablement pas dû venir, soupire-t-il, je suis sûr que je vous dérange pour rien.

Il a l'accent parigot et il prononce « pour erien ».

— Et après ! le rassuré-je. Je ne suis pas le président de la République, Octave. Et même le président a des instants de déconnection puisqu'il lui arrive de lire mes bouquins.

Il pue l'essence, en sourdine, l'huile de vidange, la sueur.

— Faut vous dire que mon épouse, Hortense, raffole de Brandu, le comique de cinéma. Hier, la voilà qui me fait un cirque pour que je l'emmène voir un film de lui qui venait de sortir au Vista Palace ; une connerie intitulée *Figure de fifre.* Vous iriez voir ça, vous, commissaire ? Bon, c'était l'anniversaire d'Hortense, j'ai cédé. Et puis voilà qu'au ciné où il y avait très peu de monde, il s'est passé quelque chose d'insolite. A deux rangées devant nous se tenait un couple assez jeune encore. La femme : ravissante ! L'homme : pas mal ! Deux loubards se sont pointés dans la travée située entre ces gens et nous. L'un des garnements a dit au monsieur qu'il venait de perdre sa montre ; du coup, le monsieur se penche et le gars l'aligne d'une manchette au cervelet.

De ce temps-là, son pote chope la femme au menton et lui tire un patin. Après quoi il lui dit qu'il l'attendra demain (donc aujourd'hui) devant l'Opéra à quinze heures pour lui faire prendre son pied. Il ajoute que si elle vient pas, il racontera aux médias la soirée du 28 janvier. Ce voyou chuchotait, mais l'acoustique du Vista Palace est excellente ; probable aussi que j'étais placé de façon adéquate puisque j'ai entendu ce qu'il disait.

« Là-dessus, les deux sales types se sont barrés sans se presser. L'homme estourbi s'est relevé en se massant la nuque. Il disait à sa femme « Il m'a frappé ! Non, mais tu as vu ? Il m'a flanqué un coup terrible sur la tête ! » Elle a répondu qu'elle s'était aperçue de rien. Lui, il a foncé vers la sortie, furieux. Et puis il est revenu au bout d'un moment en déclarant que les deux loubards avaient fichu le camp. Il ne les avait pas vus. Elle a déploré, comme quoi on vit une époque effroyable où l'on se fait agresser même au cinéma. « Il ne t'a rien volé ? » s'est-elle inquiétée. Le mari a palpé ses poches. Non, il avait tout son petit bazar sur lui. Alors, bon, ils ont regardé le film. Lui, de temps en temps, il massait son cou en maugréant. Voilà, c'est tout, commissaire. J'ai trouvé l'incident pas catholique. Ce qui m'a motivé pour venir vous le raconter, c'est l'attitude de la jolie jeune femme qui n'a pas parlé à son compagnon de ce que lui avait fait et dit le second lascar. Si elle l'a fermée, c'est qu'il y a quelque chose de pas très net dans tout ça, non ? Enfin, il me semble ; mais peut-être que je me fais des idées. »

Je tapote l'épaule de Laburne.

— Voilà une démarche qui vous honore, Octave. Cela s'appelle faire son devoir de bon citoyen. A quinze heures devant l'Opéra, avez-vous dit ?

Je visionne ma tocante. Elle exprime onze heures vingt avec détermination. J'ai tout mon temps.

— Vous pouvez me décrire la gonzesse et son agresseur ?

Laburne hoche la tête.

— La dame, oui, car je l'ai bien regardée à la sortie ; mais le voyou, je ne l'ai vu que de dos et dans la pénombre : un assez beau mec, avec une boucle d'oreille. Sur son pull, y avait écrit « Princeton University » en caractères fluos.

« J'en reviens à la dame. Moi, je lui donne environ trente-cinq ans. Blonde, très blonde, avec une coupe de cheveux courte par-derrière et un peu bouffante par-devant. »

— C'est toujours le devant qu'on fait bouffer ! plaisanté-je finement.

Octave Laburne me fait la charité de rire. Puis il poursuit :

— Très jolie. Je sais bien que c'est pas un signalement, m'sieur Antonio, mais je peux pas vous dire mieux. C'est les tarderies qui sont faciles à décrire, les belles, quand on a parlé du regard clair, de la bouche sensuelle, des pommettes parfaites, hein ? Avec ça, du monde au balcon. Pas surpeuplé, mais de qualité. Le genre de payse qu'on voudrait bien astiquer dans un plumard. Je regardais ses jambes, en sortant. Seigneur ! S'atteler dans ces brancards-là, ça doit représenter le fin du fin ! Y a des hommes qui ont de la chance.

Les mirettes qui font « tilt », Laburne ! Pour un peu, il larguerait ses chères bagnoles pour se faire la dame en question ! Tu paries qu'il lonche sa rombière en l'évoquant ? Lui, jusque-là, il était amoureux des vieilles Lancia. Un jour, il m'a expliqué qu'il n'existait rien de plus beau en ce monde qu'une ancienne « Aurelia ». Il a sur son bureau un culbuteur dudit modèle. Relique qu'il montre en exemple. Pas de la bricole ! Du massif fait main ! A exposer dans une vitrine de son salon parmi les tabatières en or et les sulfures de jadis.

Je lui tends la main.

— Encore merci, Octave. Je peux vous porter ma tire pour un service, la semaine prochaine ?

— On est chargés, mais pour vous, y a toujours de la place, m'sieur Antonio.

OPÉRA

Moi, à pied d'œuvre depuis quatorze heures trente, tu penses bien. C'est le genre de rancart où tu as intérêt à arriver en avance. J'ai pris mes quartiers d'observation à un endroit de la place qui permet une vue imprenable sur la façade de l'Opéra. Arrêt d'autobus, journal déplié ; rien de particulièrement ingénieux. Les vieilles recettes à M'sieur Maigret.

Jérémie est embusqué au volant de sa Juva, interdiction de stationnement. Les draupers lui virevoltent autour comme des mouches à merde facinées par un superbe étron. Il les refoule l'un après l'autre en produisant sa brème en loucedé.

Sur les couilles de quatorze heures cinquante, je vois se détacher du flot de quidams, une sublime blonde habillée de rouge. Pour en jeter, elle en jette ! Sa coupe de tifs me renseigne : c'est bien elle ! Conforme à ce que m'a décrit le père Laburne. Foulard Hermès beige et bleu au cou, un sac Vuitton rouge (nouveau modèle) en brandoulière, comme dit Béru. De la frangine de classe.

Elle s'arrête au niveau de l'illustre perron, puis commence de faire les cent pas. Semble calme. Que s'est-il passé la nuit du 28 janvier, à quoi elle a été mêlée et qui justifie un chantage ? Partouze ? C'est ce qui me paraît le plus probable. Elle a fait du contrecarre à son julot et craint ses foudres s'il l'apprend. Seulement quelque chose cloche : le garnement, d'après l'amoureux des Lancia, a dit qu'il alerterait les médias si elle oubliait de venir au rendez-vous. Qu'est-ce que les médias ont à cirer des parties de jambons d'une dame, à moins qu'il ne s'agisse, bien sûr, d'une star ou de l'épouse d'un homme de premier plan, ce qui ne semble pas être le cas. La gonzesse est superbe, mais je ne l'ai jamais vue avant cet instant. M'est avis que le loubard va se régaler si vraiment elle lui cède. Un morceau pareil doit t'arracher le copeau sublimement, à la varlope à moustaches.

Mon attention ne faiblit pas. J'attends la survenance du voyou. Et ensuite je les suivrai, naturellement. Il va la driver dans un coinceteau discret : hôtel à tringlettes ou studio. Je jouerai alors les guette-au-trou et, ma foi, si je perçois des violences, si j'entends des trucs ressemblant à du chantage, j'emballerai le mec.

Une tire décapotable noire se pointe, qui décrit un crochet pour serrer le perron. Elle lâche deux légers coups d'avertisseur, à peine illégaux. C'est une Golf GTI, un brin cabossée. Au volant, j'avise un mec en blouson de toile. Il a une gâpette à carreaux et un anneau à la con à une oreille, des lunettes noires énormes. Il stoppe à la hauteur de la dame en rouge et l'apostrophe. Mais celle-ci, contre toute attente, ne l'écoute pas. Elle s'éloigne au contraire, mais à pas lents, sans vouloir écouter le baratin du gazier. Là, je me dis que de deux choses l'une : ou bien il ne s'agit pas du « bon », ce qui m'étonnerait car la coïncidence serait trop énorme ; ou bien, au dernier moment, la femme se ravise parce qu'elle prend peur, et c'est le plus vraisemblable.

Je plonge mon journal dans une corbeille à papier et m'apprête à traverser la chaussée pour aller foutre mon grain de sel. Mais alors tout va très vite. Une moto, avec deux types casqués de noir à son califourchon, surgit d'on ne sait où. Le type qui se tient à l'arrière a un sac de plage coincé entre sa bite et le prose du conducteur. Il y prend quelque chose qu'il dirige vers le garnement de la Golf. Je ne perçois pas les détonations biscotte le brouhaha de la circulation, mais au triple soubresaut de l'arme, je réalise qu'elle crache trois bastos. Et des chouettes, si j'en juge au calibre. Rush de la moto qui, en deux ou trois queues-de-poissecaille, disparaît. La Golf, livrée soudain à elle-même, part en biais et percute un autobus car son conducteur, dans un spasme, a mis le pied sur le champignon. Foirade générale. Brusque concert d'avertisseurs. J'accours. Le gars à la boucle d'oreille est couché en travers de la banquette, le buste sur la place passager. Sa tête, n'en parlons plus car elle a littéralement explosé et si je te parle encore de sa boucle d'oreille, c'est uniquement par évocation, vu qu'il n'a plus d'oreilles en place. Faudrait chercher ses portugaises sur le tapis de sol. Je pense que l'attentat à moto se pratique de plus en plus, de nos jours. C'est efficace et ça comporte peu de risques. Quoi de plus véloce qu'une cinq cents à travers le flot de la circulation, quand un pilote décidé la drive ?

Moi, franchement, je me sens drôlement marri. Comme Aubin (1). M'attendais pas à un tel déve-

(1) Aubin Marri ! Là, San-Antonio se néglige !

La Directrice littéraire.

loppement. Je m'écarte de la chignole défoncée pour m'occuper de la dame en rouge. Zob ! Elle a déjà disparu. J'ai beau me mettre à galoper en direction des *Galeries,* je ne la vois pas. Peut-être qu'une tire l'attendait ? Peut-être qu'elle s'est engouffrée dans la bouche du métropolitain ? Niqué, l'Antoine ! Beau boulot. Madame avait pris ses précautions et alerté une équipe d'équarrisseurs afin de mettre à la raison le gars qui la faisait chanter. Elle est venue au rendez-vous pour que le zigoto à la boucle d'oreille se signale aux tueurs en l'abordant. A partir de cet instant, il était repéré et elle a feint de l'ignorer. Mon petit doigt me dit que cette gonzesse n'est pas une simple petite-bourgeoise dévergondée ainsi que je l'envisageais ; elle dispose d'une infrastructure un peu glauque, non ? Ça m'étonnait, aussi, que je saute sans hésiter sur cette histoire. Mon fameux instinct m'y poussait. J'ai tout de suite reniflé la charognerie sous-jacente.

Y a presse autour de l'homme foudroyé. Des agents font le coup de coude, voire le coup de pied, en plus du coup de gueule pour écarter la foule. J'avise Jérémie, déjà sur la brèche après avoir montré patte blanche, ce qui constitue un tour de force de sa part. Je brandis personnellement ma brèmouze aux pandores en éruption.

— Dispersez cette bande de vampires, les gars ! Quelqu'un a appelé Police-Secours ?

On me répond que c'est en projet, peut-être même en cours.

Sans un mot, Jérémie qui connaît déjà bien les usages me tend le porte-cartes du mort : une chose cradoche, informe, avec dedans des fafs pas chopables avec les doigts, tant ils sont graisseux.

« Daniel Fluvio, né à Nice 06, le 4 février 1966 ;

assistant de cinéma », lisé-je. Le domicile porté sur la carte d'identité indique : « 18, rue Ballepeau, Paris XVIIIe ».

Pendant que je l'inventorie, mon pote note la plaque minéralogique de la Golf.

J'explore la boîte à gants. Elle contient une carte de France haillonneuse, le *Guide Michelin* 1985 et une lanière de cuir tressé à manche, c'est-à-dire un fouet, enroulé sur lui-même. Je palpe le mort et découvre un pistolet engagé dans son jean, contre sa fesse droite.

Jérémie, lui, fait l'inventaire du coffre. Il est content parce qu'il vient d'y découvrir un magnéto de professionnel, type Nagra. Matériel performant, avec une bande engagée dans l'appareil.

— Qu'est-ce qu'on fait de ça ? me demande-t-il.

— Tu le mets dans ta caisse, Noirpiot.

Il murmure :

— Les collègues de l'arrondissement ne vont pas monter au renaud quand ils apprendront notre petit déménagement ?

— Les collègues, je les sodomise, Jérémie. C'est NOTRE crime, non ?

Alors on se carajambe, lestés de notre matériel.

IDIOME

Bérurier déclare :

— Vous me direz pas que la langue française est pas chiée dans son genre ! On dit un hôte pour causer d'une personne qu'est invitée, et une hotte pour l'manteau d'la cheminée.

— Je suis navré, Gros, mumuré-je ; tu ne méritais pas ça. Mais qu'est-ce qui motive ces préoccupations linguistiques ?

Il a un léger haussement d'épaules ponctué d'un petit sourire entendu.

— Des choses, explique-t-il succinctement ; des choses qu't'apprendreras plus tard.

Respectant son secret avec d'autant plus de scrupules que je m'en tartine le dessous des burnes, je monte au labo rejoindre Mathias et M. Blanc. Ils sont en train d'étudier la bande sonore découverte dans le Nagra de la voiture de feu Daniel Fluvio. Elle offre une particularité, celle d'être impressionnée dans une langue étrangère. Le Rouquin qui en parle huit couramment et en connaît plus ou moins une quinzaine ignore celle-ci. Il écoute, la tête rejetée en arrière, le regard clos, comme s'il s'agissait d'une sonate de Mozart.

— Asiatique, diagnostique-t-il. Très certainement. Mais de quel dialecte s'agit-il ? Mystère ! L'enregistrement, de toute évidence, est le repiquage d'une conversation téléphonique. On a l'impression, à l'intonation, que la téléphoniste donne des instructions à l'autre. Il y a quelque chose de péremptoire dans son débit, alors qu'au contraire, celui de son interlocuteur est bref et comme soumis. Il nous faudrait un orientaliste pour traduire ça.

— Le pistolet trouvé sur lui ? demandé-je.

— Le service des armes va nous révéler d'une minute à l'autre s'il a ou non un pedigree. D'ores et déjà, je puis vous dire qu'il n'a pas servi récemment.

— Parfait. Et toi, Fleur de Lys, tu as constitué une petite biographie du cher défunt ?

M. Blanc sort un carnet. (Un de mon stock, tu sais ? C'est mon papa qui l'avait constitué. J'en ai encore un millier d'avance. Le papier a jauni, mais ça n'a pas d'importance. La couvrante est en moleskine véritable.) Il l'ouvre et y jette un coup de globes.

— Fils d'un épicier italien du Vieux Nice. Etudes cahotiques. Passe néanmoins le bac. S'inscrit à la fac de droit mais abandonne au bout de quelques mois pour tâter du cinéma. On le trouve sur le plateau de la Victorine où il « bricole ». N'a jamais été « assistant » comme ses papiers le prétendent ; tout au plus aide-accessoiriste.

« Il tombe, voici trois ans, pour une histoire de drogue pas très méchante et s'en tire avec trois mois assortis du sursis. L'année suivante, il est entendu dans une affaire de recel de tableaux volés ; mais on le relâche. Au début de cette année, il est engagé comme doublure-lumière d'un acteur américain dans une production internationale. Une partie du film est tournée en Asie. Il est rentré en février et n'a plus rien fait, officiellement du moins, depuis.

« Il habite toujours à l'adresse figurant sur sa carte d'identité, un appartement sur le versant merdique de la Butte. C'est un queutard effréné, capable de régaler trois frangines dans la même séance. Il aurait même tourné dans des films hard, mais masqué, car il refuse de montrer son visage dans ce genre de superproduction. On l'utiliserait, là aussi, comme doublure. Sexe-doublure, si je puis dire. »

— Eh bien, voilà qui est rondement mené, grand primate, complimenté-je. C'est bon d'être secondé par des gars de votre trempe, messieurs !

Ils aimeraient rougir de plaisir, mais la chose leur est interdite. A Blanc parce qu'il est noir, à Mathias parce qu'il est déjà rouge.

— Ton dix-neuvième chiare a été mis en route ce matin ? demandé-je à ce dernier.

— Pourquoi, commissaire ?

— T'as des traces de foutre sur ton bénouze. Ça sent le coup tiré dans l'effervescence du départ : vite fait bien fait, après avoir avalé sa tasse de caoua. A moins que tu n'aies fait une fleur à une petite greluse de ton quartier avant de venir ?

Son embarras extrême me renseigne.

— C'est ça, hein ? Tu as risqué dans l'extra-conjugal, Casanova ! La fête à ta guiguite ! T'as raison : le coup du matin n'arrête pas le pèlerin.

Dehors, il fait gris, avec des traînées de lumière. Jérémie a remisé ses notes. Je soupire :

— Il serait bon de savoir où se trouvait Daniel Fluvio le soir du 28 janvier dernier.

— En Asie, répond le Noirpiot. Il y était depuis le 10 décembre, pour ce film.

— On pourrait donc en conclure que la femme

blonde du cinoche y séjournait également, réfléchis-je.

— Pas nécessairement. Fluvio a très bien pu apprendre sur le compte de cette fille un événement auquel il n'aurait pas participé, ni même assisté. S'il détenait des preuves, cela suffisait.

Je rafle la bande qu'ils viennent de mouliner, ainsi que le Nagra dans lequel elle se trouvait.

— Je te ramènerai ce matériel plus tard, Rouillé. Tu veux bien me faire tirer une photo de Daniel Fluvio repiquée sur sa carte d'identité ?

Léger sourire entendu du Prix Cognac. Il saisit une enveloppe de papier kraft sur une étagère placée devant lui et me la tend :

— Servez-vous, commissaire !

Depuis qu'il est nommé dirluche du labo, il ne me dit plus « monsieur le commissaire », mais m'appelle « commissaire » tout court, comme si le fait qu'il soit devenu un « monsieur » me retirait, à moi, cette qualité. La vie est tout en nuances...

Je trouve une douzaine de clichés encore frais, agrandis en 13 × 18. L'image a perdu de sa netteté, mais reste extrêmement présente, néanmoins. J'en enfouille un exemplaire et lui rends l'enveloppe.

— Un qualificatif me vient à ton propos, Rouquin : émérite ! Tu es un flic émérite.

TRADUCTRICE

Un rouleau de printemps, des légumes cuits, un poulet aux amandes. Le tout arrosé de thé au jasmin. Je clape avec des baguettes. Ça paraît duraille à ceux qui ne s'en sont jamais servi, mais il n'y a rien de plus fastoche.

Une serveuse vêtue d'une tunique dorée, fendue haut sur les deux côtés, s'empresse, silencieuse, avec son sourire ripolin pour masque chinois.

A cette heure insolite, je suis seul dans ce petit restaurant du treizième. De temps à autre, le cuistot surgit de son antre qu'il vaut mieux ne pas visiter lorsqu'on est client. Il cueille une cigarette qui se consume dans un cendrier posé sur la desserte, en tire une goulée, la remet en place et disparaît. Il s'asphyxie par à-coups. C'est l'inverse des plongeurs qui remontent pour respirer une goulée d'air ; lui, il vient s'administrer une goulée de poison (chinois).

Le patron est un type d'âge indéfini, grassouillet, coiffé à la démocrate-chrétien d'avant le gaullisme et vêtu d'une chemisette à manches courtes. Il étudie des paperasses à sa caisse d'un air soucieux. A un certain moment, comme on dit, puis quand on est en manque de vocabulaire, il relève la tête et me regarde. Je lui fais signe de venir à ma table. Dare-dare, il radine.

— Oui, monsieur ?

Je lui désigne mon magnéto posé sur la table.

— J'aimerais vous faire entendre quelque chose.

J'enclenche. Ça baragouine. Véhémence du départ d'une voix féminine, réponse timorée (me semble-t-il) de l'interlocuteur.

— Vous comprenez cette langue ? demandé-je.

— Non, monsieur.

— Vous avez une idée de ce qu'elle est ?

Il écoute encore.

— Peut-être du malais.

— Vous connaissez un Malais dans le quartier chinois ?

— Un instant, je vous prie.

Il se rend à la cuistance et se met à jacter avec le chef à la cigarette épisodique. Il revient en arborant toujours sa mine triste, le front emperlé de sueur, because le piano qui en crache.

— Au bout de la rue, il y a une pédicure malaise ; au-dessus d'un épicier oriental.

— Merci de votre amabilité.

Il me désigne le chauffe-plat où l'on a déposé mes mets.

— C'est bon ?

— Exquis. Je reviendrai.

En réalité, le rouleau de printemps a un goût de chou et le poulet aux amandes un goût de chien.

— Vous accepterez un verre d'alcool de riz ?

— Avec plaisir.

L'alcool de riz, quant à lui, a un goût de merde.

Un écriteau indique « Entrez sans sonner ». En français et en idéogrammes.

Obéissant, je tourne le loquet d'une porte branlante et déboule dans un local étrange venu d'ailleurs. Ça pue les pires essences extrême-orientales, c'est sombre, bas de plafard, à peine meublé, décoré d'une quantité incroyable de charogneries de bazar (de bas arts) chinois. Lanterne multicolore au plafond, poupées, bouddha, la lyre ! Le cauchemar.

Au milieu de la petite pièce sont deux personnes de sexe féminin. L'une est assise sur un siège tarabiscoté, et confie ses pieds nus à la seconde, laquelle se tient accroupie, le postérieur à peine soutenu par le plus minuscule tabouret dont j'ai jamais fait la connaissance. C'est bien simple : Chazot s'assoit dessus, y a plus de tabouret ! Dans une boîte de bois posée sur le plancher, se trouvent des instruments para-chirurgicaux déchromés, douteux, voire carrément inquiétants.

La pédicure s'active tout en jactant car il n'existe personne de plus bavard qu'une pédicure. Elle a une tronche de sorcière, avec de longs cheveux noirs et huileux mal tenus par un bandeau de couleur, un faux diamant dans les ailes de son nez. (Certaines connasses chez nous croient se donner une personnalité en se faisant saccager le tarbouif, que ma pomme, sincèrement, ça me fout la gerbe de les voir ainsi défigurées. Bien sûr, maintenant que les mecs portent des boucles d'oreilles, elles veulent surenchérir, les pauvrasses. Bientôt, se feront baguer la chatte ou fixer des embouts d'argent aux loloches ; la plume dans le cul, on en rigole, mais je prévois que c'est pour bientôt, et les tatouages cabalistiques au front, le trouduc serti d'argent.)

Moi, de la voir instrumenter du scalpel chinois, du crochet tranchant, et d'une chiée d'autres outils barbares, je sens dégouliner d'aigres sueurs dans ma raie médiane. Je préférerais être cul-de-jatte que de laisser cette grognasse s'expliquer sur mes arpions.

Elle me salue d'entrée et me dit de m'asseoir. Je trouve un pouf et m'en colmate la voie royale. La patiente est une Annamite aux pinceaux « défigurés » par les rhumatismes, dirait Bérurier. Un instant intimidées par ma venue, les deux commères ne tardent pas à remettre leur converse sur orbite. J'attends la fin de la délicate opération. Voilà l'Annamite qui saigne d'un paturon. L'autre cautérise en appliquant sur la blessure une éponge qui trempait dans un seau de plastique empli d'un liquide effrayant, cholérique, miasmeux, et qui malodore pis que latrines.

Enfin, la cliente remet ses targettes, paie et joue cassos.

— A vous ! me fait la pédicure.

Je prends place en face d'elle. Elle fouette tellement que je déplore de n'avoir pas un masque de gaze protecteur. Sûr qu'on doit dérouiller la peste jaune, dans ce boui-boui atroce ; la malaria, le typhus, des amibes à n'en plus finir. Tu défèques verdâtre après ce genre de visite ; il te vient des boutons, des plaques bizarres, des fissures, fistules, croûtes sanieuses et éparses.

Elle me cramponne un mocassin et me l'ôte.

— Non, non ! fais-je vivement.

La dame se fige, interloquée.

— Je viens pour un renseignement, corrigé-je. Vous êtes malaise, paraît-il ? demandé-je en surmontant mal le mien.

Elle assentimente.

— Bravo ! poursuis-je, je vous félicite. Tenez !

Je lui atrique un talbin de deux cents points pour

la récompenser d'être malaise, toute peine méritant salaire.

Elle le biche parce qu'un bifton qu'on vous tend, n'importe les circonstances, si tu ne le griffes pas d'urgence, c'est que t'es con ou manchot.

— Ecoutez ça, chère petite madame ! lui supplié-je, vous m'en donnerez des nouvelles.

Et je rémoule du Nagra. La jactance retentit, plein tube.

— Vous comprenez ce qui se dit, n'est-ce pas ?

Elle écoute et opine.

— Bouddha soit loué ! Vous pouvez me traduire au fur et à mesure ?

Elle paraît toute siphonnée. C'est le mot « traduire » qui la perplexe, probable. Son vocabulaire français n'est que professionnel et ne s'applique qu'aux arpions, cors, œils-de-perdrix, durillons. Et puis cette expression : « au fur et à mesure ». Si t'es pas de langue française à l'origine, va te faire mettre ! Tu sais l'en quoi ça consiste, le « fur et la mesure », ta pomme, si t'es albanais, belge au auvergnat ?

Je complète donc.

— Expliquez-moi ce qu'on se dit dans cet appareil, lui supplié-je aimablement.

La mère, elle se dit qu'un luron qui démarre une converse avec un bifton de deux cents points est bon à satisfaire, des fois qu'il se fendrait d'une postface de la même écriture.

Je remets la bande à zéro et rebranche. J'en laisse filocher dix secondes et j'interromps.

— Alors ?

Elle se concentre, cherche les mots pour traduire.

— La femme dit qu'elle parle au nom du *Singe*

Blanc de Singapour et qu'il faut décider le plan 4. Elle dit...

A cet instant, quelqu'un se met à gueuler dans la pièce. Tu dirais un roquet qui japperait en malais. Pourtant j'ai remarqué personne en entrant. Surpris, je scrute la pénombre et finis par apercevoir une étrange créature couchée sur un grabat, dans un recoin. Ça ressemble à un champignon moisi, ça a le goût du champignon moisi, mais c'est néanmoins un être vivant. Une espèce de minuscule vieillard décharné, parcheminé, momifié, à peau grise, au regard blanc comme deux trous dans tes volets. Plus tout à fait un être, plutôt chose fuligineuse et abasourdissante ; il est vêtu d'un training bleu sur lequel y a écrit « Adidas ». Un presque cadavre asiatique en survêtement, voilà qui te déconcerte la rétine. Instantanément la pédoche a clos son moulin à déconne. Le vieillard poursuit ses glapissements exténués qui s'en vont de lui comme les ultimes pets d'une diarrhée.

— Que dit monsieur ? demandé-je, car je déteste ne pas entraver ce qui s'exprime en ma présence.

Elle ne répond pas.

— Il ne veut pas que vous poursuiviez ? insisté-je-t-il.

Mutisme.

— Ecoutez, madame, fais-je, vous n'êtes pas les deux seuls Malais habitant Paris. Si vous refusez de me traduire ce qu'il y a là-dedans, je n'aurai pas de mal à trouver quelqu'un d'autre pour le faire.

Alors la petite crevure ancestrale qui se démène sur le grabat se dresse. Un mètre quarante-cinq, le vénérable. A la verticale, sa ressemblance avec un champignon s'accroît. Il est menu, freluquet, avec une tronche disproportionnée et ridée. Tête de mort, ou bien réduite par les bons soins de la maison Jivaro and Co.

Il clopine jusqu'à nous et m'invective à bout touchant dans sa langue maternelle.

— Bâhartoikonar ! il écrie. Késtuféchiépôvkon ! Tuhmbâ lékouil ! Taï la rhouthanvitès ! Mélaï Hadja dâr dâr.

Il est aveugle, le morpion chenu. Il m'apostrophe juste à partir de l'oreille gauche, c'est des postillons perdus. Faudrait qu'je cause pour qu'il me repère et rectifie son tir bacillaire ; mais je préfère me disperser sur la pointe des nougats. N'en tout cas, je biche : on vient de toucher du gros bigntz comme j'aime.

Curieux, ce Fluvio. Curieuse, cette dame en rouge. Curieux, ce téléphone enregistré qui ressuscite tout à coup un vieux cancrelat à l'agonie. J'espère que Mathias va nous dégauchir un linguiste capable de décrypter ce texte. Il doit être vachement sulfureux ; contenir de la dynamite pour que le bonze malais interdise à sa fille (ou petite-fille, voire arrière-petite-fille ?) de m'en donner le sens. Il trépignait, l'ancêtre. En vérité, IL AVAIT PEUR !

« Le Singe Blanc de Singapour. » Ça rime à quoi ? Là encore, je compte sur le Rouquemoute pour éclairer ma lanterne. Et le plan 4, hein ? T'as une idée de ce qu'il signifie, toi, le plan 4, glandu à ton point ?

Je sens que nous avons du pain sur la planche, à la Maison Pébroque.

STUDIOS

Les studios des Buttes-Chaumont (qui ne chôment pas). Un gardien, pas si tibulaire que ça, me regarde survendre d'un œil faussement assoupi de crocodile au soleil. Ma carte lui arrache un sourire. Sa prunelle droite se dilate. Conjonctivite ?

— Je voudrais voir Jean Néralbe, dis-je.

— Plateau 2 ; si le rouge est mis...

— Je sais, j'attends le vert. J'ai mon permis de conduire, vieux, qu'est-ce que vous croyez ?

Sur le 2, ils sont en train de tourner un feuilleton promis à un grand succès intitulé « Les Petites Goulues ». Y a pas de feu du tout quand je me pointe, vu que les deux immenses portes sont béantes car on apporte un élément de décor qui représente simplement la tour Eiffel. Ça s'active, ça gueule. Des machinos, des électros, des accessoiristes se bousculent dans une effervescence qui peut sembler confuse au profane mais qui correspond à un rituel bien établi de chienlit organisée. Pour parler à quelqu'un dans ce tohu-bohu, c'est coton. Pis que lorsque tu demandes l'adresse d'un bon bordel à des gens pris sous un bombardement.

J'avise enfin une gentille personne, avec un chrono suspendu au cou et un tas de feuillets sur les genoux. Elle se tient sagement assise dans une zone relativement épargnée par le séisme, et écrit fiévreusement.

— Navré de vous déranger, fais-je, vous pourriez m'indiquer Jean Néralbe ?

Elle finit par relever la tête, me trouve à son goût puisque ses jambes s'ouvrent insensiblement. Enfin une scripte en jupe ! On n'avait pas vu ça depuis Henri IV. Ses talons sont accrochés à la barre transversale de son haut tabouret. Je me dis que si je trouve le moyen de m'accroupir un tantisoit, je vais avoir une vue féerique sur la sylve amazonienne prise d'avion. Je bigle autour de moi, avise une malle d'osier, m'y dépose. Ça grince comme un rafiot à l'amarre, mais j'obtiens le panorama désiré.

— Jean Néralbe ? elle répète pour nous donner du temps et ouvrir plus copieusement ses parenthèses.

J'en bredouille du regard.

— J'adore la couleur parme, fais-je.

Elle a un vague sourire.

— Moi aussi.

— Je sais, fais-je, puisque c'est la couleur de votre petite culotte. C'est curieux de la part d'un homme aussi viril que moi, mais les tons pastel m'attirent, surtout lorsqu'ils s'appliquent à la lingerie féminine. Je parie que vous portez aussi du vert Nil, du bleu lavande et du rose praline à l'occasion ?

— Gagné !

— Je paierais n'importe quel prix pour pouvoir assister à un essayage général et faire mon choix.

Elle soupire :

— Vous alors, vous ne volez pas votre réputation !

— Parce que vous me connaissez ?

— Ce serait malheureux ! Il y a deux ans on a tourné un portrait de vous pour FR3, vous ne vous souvenez pas de moi ?

— Vous portiez un jean ?

— Il me semble.

— Alors je n'ai pas pu vous remarquer : je suis jupiste jusqu'au bout des ongles et n'aime que les femmes qui s'habillent en femme.

Elle rit.

— Seule leur partie inférieure vous intéresse ?

— Mon regard entreprend toujours une fille par le bas ; si elle met des pantalons, il s'arrête à la ceinture.

— Aujourd'hui, j'ai donc ma chance ?

— Vous avez carrément gagné un dîner dans un délicat restaurant que je connais.

— Mon horoscope du jour annonce que je vais avoir une proposition avantageuse.

— Voilà qui est fait. Plus avantageuse quc celle-là, tu meurs. On se retrouve à vingt heures au *Fouquet's ?*

— Pourquoi pas ?

— Je préférerais que vous répondiez « Avec joie », cela marquerait une adhésion plus franche au projet.

— Avec une joie indicible ! Dites, vous tenez encore à rencontrer Jean Néralbe ?

— Toujours, bien que ma vie se soit profondément modifiée depuis que je vous ai demandé de me le désigner.

— Il arrive droit sur nous : le gros type à lunettes, avec des côtelettes sur les joues qui le font ressembler à un bourgmestre allemand dans un livre signé Erckmann-Chatrian.

Marrante, cette gonzesse. Je sens qu'on risque de ne pas s'ennuyer, ce soir, elle et moi.

Je file un dernier regard en forme de soupir à la culotte parme. Renflement prometteur. Si j'en crois la moustache qui dépasse, cette frangine est d'un joli châtain clair. J'aime assez les pelages clairs, ils laissent découvrir la moule bien mieux que les foisonnantes toisons méditerranéennes.

J'exécute un rétablissement et me présente devant Jean Néralbe. Lui, la cinquantaine cosmique tuméfiée par le whisky. Un peu de couperose, des crins gris, l'air revêche. C'est le gazier sous pression qui se déplace en gueulant pour se frayer un passage.

— Navré de vous déranger, j'aimerais vous parler un instant, je gazouille.

Tu sais quoi, ce con ?

— Si vous êtes vraiment navré de me déranger, ne me dérangez pas, il riposte, l'affreux.

Faut oser ! Balancer ça, tout de go à ses contemporains dénote une nature chiasseresse. C'est du mufle en tas, du butor à l'état brut.

La gentille scripte en est gênée pour moi. Elle lance au bourgmestre des tournées Lanlure :

— C'est le commissaire San-Antonio !

Néralbe, ça lui fait comme si tu lui montrais une photo du Maréchal Pétain enfant, quand il se tirlipotait déjà le bâton.

— Et moi, je suis le régisseur de plateau de ce plateau et on est à la bourre, bordel !

Poum ! Il fait un pas de côté pour m'éviter et s'éloigne en appelant un certain « Patte folle » dont ça va être la fête !

Je reste un tout petit peu benêt, les bras ballants. Pas joyce d'être ainsi traité devant une momaque qu'on vient de prier à dîner. Elle doit se dire que si je manque pareillement de réactions au plumard, l'affaire du siècle, c'était l'année dernière, à Marienbad. Mais quoi ? Tu veux que j'aille alpaguer ce gros porc et que je lui cloque un coup de boule dans la clape pour y faire déguster ses ratiches ? Il a le droit de m'envoyer aux bains turcs. Il marne. Je l'importune. La Rousse, il en a rien à breloquer ! Il est dans son droit. C'est un grincheux, un sac à merde, mais je ne peux rien contre lui.

De guerre lasse, je me redépose sur la malle d'osier et ma future maîtresse rouvre ses jolies jambes dont, pas plus tard que ce soir, je remonterai le courant en canoé kayak.

— Vous arrivez à bosser avec cet olibrius ? demandé-je calmement.

— C'est un excellent professionnel, répond la môme. De plus, quand on le connaît, on s'aperçoit qu'il est moins mauvais bougre qu'il n'y paraît.

— Vous ne m'avez pas dit votre prénom, fais-je tout à trac.

— Madeleine.

— Exquis. Proustien. Ça fait fleur séchée. Brel ! Tout ! J'aime.

Là, j'ai droit à une ouverture augmentée de quelques degrés de ses jambes. C'est bath. Ça porte. Je rêve. Chaque fois, c'est la même féerie, la même ineffabilité. Ça te sèche la glotte, te met des gouzis-gouzis sous les testicules. Les prémices, y a que ça qui importe. Un pré-début te laisse espérer l'infini. Tes extravagances cérébrales peuvent se donner libre cours.

— Je suis curieuse, me fait Madeleine, je me demande ce que l'illustre commissaire San-Antonio peut bien attendre de ce gros sac de Jean Néralbe ?

Elle espère une réponse.

Charitable, je la lui fournis, et bien va m'en prendre, tu vas voir.

— Des renseignements à propos d'un petit malin qui a côtoyé le cinéma et auquel Néralbe a eu affaire au début de l'année, lors d'un tournage en Asie.

— J'étais la scripte du film pour la séquence asiatique.

Dis : il a pas du bol, ton Sana, Anna ?

— Alors vous connaissez un certain Fluvio, doublure-lumière de la vedette masculine ?

— Naturellement.

— C'est la Providence qui m'a guidé jusqu'à vos admirables jambes que vous n'ouvrirez jamais suffisamment pour que je m'enrassasie, Madeleine !

Elle rougit, serre ses genoux ! Quel con ! Je viens de carboniser momentanément mon jeton.

— Oh ! non, imploré-je. Pourquoi ce brutal crépuscule, ma merveilleuse amie ? J'avais l'impression d'être en vacances aux Canaries. Vous amputez notre tête-à-tête !

Zob ! Miss Mado a fermé la parenthèse jusqu'à nouvel ordre. Mais, comprenant qu'il serait inhabile et malséant d'insister, je fais mine de passer outre. Tout naturellement, ses cannes s'écarteront derechef, au fil de la converse.

— Soyez coopérative et dites-moi bien tout ce que vous savez du comportement de ce garçon pendant votre séjour dans les pays lointains.

— Il a commis un délit ?

— On lui a commis un délit, rectifié-je. Il a été trucidé tantôt, place de l'Opéra, au volant de sa décapotable.

Elle marque sa stupeur.

— Pas possible ! Fluvio !

— Du gros calibre, la tête éclatée ; pas joli joli !

— Quelle horreur !

— Mon enquête m'induit à penser qu'il a eu une activité extra-cinématographique en Extrême-Orient. Dans quels pays avez-vous travaillé ?

— Hong-Kong et Singapour.

— Où étiez-vous, le 28 janvier ?

— Singapour.

A cet instant, Jean Néralbe se ramène en trombe (d'Eustache) et lance à la scripte :

— On va pouvoir tourner, Mado ! Ton metteur te cherche !

Moi, il me foudroie d'un regard désastreux.

— Ecoutez, ne restez pas par là, l'accès du plateau est interdit à toute personne étrangère au tournage. Qu'est-ce que vous me vouliez ?

— Du bien, réponds-je. Mais à présent j'en suis moins sûr car j'ai horreur des têtes de lard !

Et je le plante là, tandis que Madeleine pouffe en sourdine.

Le soir dégringole. Un soir mouillé de Paris en automne. Il vase une petite lance aigrelette qui arrondit le dos des passants. Le paveton s'éclaire des lumières de la rue. J'aimerais un air d'accordéon comme fond sonore à ce décor à la Marcel Carné.

Ma tire mal rangée sur un trottoir s'adorne d'un papillon obligeamment dédicacé par quelque contractuelle en maraude. Le papelard détrempé par la lancequine colle au pare-brise. J'ai du mal à l'en arracher.

Tandis que j'escrime, une « pervenche » se pointe, dans son imper à capuche. C'est à elle que je dois cette gracieuseté.

— Vos papiers ! me demande-t-elle.

— Si je les déballe sous la flotte, ils vont être

salopés, lui fais-je. L'an passé j'ai déjà dû faire refaire mon passeport qu'un douanier autrichien étudiait sous des trombes d'eau !

Elle grince :

— Faites pas le malin : permis de conduire, carte grise.

Je viens enfin de détacher la contre-bûche de ma vitre.

— T'as une culotte, chérie ? demandé-je à la contractuelle.

Je lui tends son document.

— Si oui, sois gentille, mets ça à sécher dedans !

Son abasourdissure fait du bien à admirer.

Manière d'abréger son calvaire, je lui montre rapidos ma brème laquelle ne risque rien de la flotte, étant plastifiée. La « pervenche » balbutie :

— Je ne vous avais pas reconnu, commissaire.

Et alors, moi, qu'est-ce que je m'aperçois-je-t-il ? On a brisé la vitre arrière de ma Maserati. Et tu sais combien ça coûte, toi, une vitre de Maserati ? Et même n'importe quoi de Maserati ? Rien que de dire « bonjour » au garaco, t'as le compteur qui se déclenche comme un fou ! On a engourdi le Nagra que j'avais déposé sur la banquette arrière, bordel à cul ! Le Nagra avec la fameuse bande malaise dedans ! Faut-il que je sois crème de gland pour avoir laissé cet appareil bien en vue ! Faut-il que je sois prétentiard pour m'être cru hors d'atteinte des roulottiers, moi, flic de pointe ! Le temps que j'admirais l'entrejambe à Mado, un futé s'est emparé du magnéto ! Pigeon, l'Antonio ! Niqué profond !

Je demande à la gonzesse sous cellophane en lui montrant ma vitre cigognée :

— On m'avait déjà fait ça quand tu m'as établi ce papelard de chiotte ?

— Je ne pense pas, monsieur le commissaire !

— Tu n'en es pas sûre ?

— Je n'ai rien remarqué.

Je vais avoir l'air génial, moi, quand le Rouquin va me réclamer la bande afin de pousser plus loin ses investigations. Il a déjà dû se remuer le panier pour trouver un spécialiste des langues orientales, l'intègre ! Et ma pomme de devoir lui avouer que j'ai perdu la pièce à conviction ! Commissaire Tête-de-Nœud.

Furax, je prends place dans mon carrosse et fonce en maugréant jusqu'au garage où gratte Octave Laburne. Au moins faire changer ma vitre brisée. Le chef d'atelier est en combinaison kaki, avec l'écusson fourchu Maserati sur le poitrail : Neptune du cambouis ! En m'apercevant, il se précipite.

— Du nouveau, commissaire ?

— Votre filon était de première, Octave, bravo !

Sa frite devient radieuse comme le drapeau japonais.

— Le gars à la boucle d'oreille est venu à son rendez-vous ? il demande.

— Oui, et il y est resté.

— Comment ça ?

— Un motard l'a zingué sous mes yeux, vous aurez des détails croustillants à la télé ce soir et dans votre *Parisien Libéré* demain. Redites-moi, dans quel cinéma s'est déroulé le petit intermède exprès dont vous m'avez parlé ?

— Le Vista Palace de Boulogne.

— Donc, un cinéma de quartier ?

— Exact.

Pour lors, je retrouve un léger regain d'optimisme. Généralement, ce sont des habitués qui fréquentent les cinoches périphériques.

Octave, rehappé par les préoccupations professionnelles, dit en montrant ma chignole :

— Votre Quattroporte a énervé des petits gredins ?

— Il va falloir me réparer ça d'urgence, dis-je.

— On vous a volé des choses ?

— De la broutille, menté-je en m'administrant mentalement mille coups de pompe dans les noix.

— Il est trop tard ce soir, mais vous l'aurez demain à midi. Si vous avez besoin d'une caisse en attendant, je vais vous en prêter une.

— Vous êtes un frangin, Octave.

La flotte a redoublé d'intensité. Maintenant il fait complètement nuit et la ville de Boulogne brille de tous ses feux répercutés par la pluie. Les bagnoles produisent un bruit de succion en roulant. Elles aspergent le bas des pantalons, mais les passants désenchantés n'en ont cure et se pressent sous leurs pébroques ou dans leurs impers verrouillés comme des scaphandres.

Le Vista Palace a une enseigne rouge soulignée de bleu qui éclabousse loin sur la chaussée. La matinée vient de s'achever. La caisse est fermaga. T'as le projectionniste qui met son parka et file le bas de son futal dans ses chaussettes avant de grimper sur son vieux Solex. Paraît alors une forte dame variqueuse qui ébouriffe ses cheveux flous pour tenter de dissimuler sa calvitie. Robe noire, col blanc. Une vieille Cosette qui aurait conservé l'appartement des Thénardier par routine. Elle sort des toilettes et s'apprête à tirer la grille de fer coulissante devant le hall du ciné. Elle a de l'emphysème pulmonaire et sa respiration fait un bruit de freins pneumatiques.

— Pardon de vous déranger, fais-je, je suis de la police et j'aimerais vous poser quelques questions.

Tout de suite alertée, mémère. Comme toujours, les honnêtes gens. Y a que le bon monde que la Rousse impressionne ; les forbans, eux, savent l'affronter avec sang-froid.

— Je vais faire appel à votre mémoire et mettre à l'épreuve votre sens de l'observation, annoncé-je. Vous travaillez au Vista Palace en qualité d'ouvreuse ?

— Non, de caissière.

— Magnifique ! Je suppose que votre établissement travaille principalement avec les gens du coin, n'est-ce pas ?

— En majeure partie, oui, pourquoi ?

— Hier soir, il n'y avait pas grand monde dans la salle.

— Le cinéma n'est plus ce qu'il a été, déplore ce cœur simple.

— Je sais. Parmi les maigres clients, il y avait un couple. Assez jeune : entre trente et quarante ans. La femme très belle : blonde, le regard qui hésite entre le bleu et le vert ; elle portait une robe imprimée et une veste de laine très chic, son rouge à lèvres est plutôt orangé. Classe ! Son mari portait une veste avec des parements de daim.

La dame caisseuse opine depuis quelques secondes déjà.

— Oui, oui, je vois, assure-t-elle. Ils viennent parfois quand le film est bon.

Un hymne de sauvage allégresse retentit dans mon âme, au fond et à droite.

— Dites-m'en davantage sur eux, chère madame, et vous serez bénie d'entre toutes les caissières.

Elle a un très joli nez sur les ailes duquel se blottit une grappe de verrues frileuses. Son bec-de-lièvre, admirablement masqué par la violette mauve qu'elle dessine par-dessus, ressemble à une raie du cul miniature. Le regard est un tantisoit glauque et con derrière des cils farineux, et la tache de vin qu'elle porte au cou reproduit à s'y méprendre la carte de la Suisse et de ses colonies.

— Vous dire quoi, mon pauvre monsieur ? soupire la pin-up de douairière les fagots.

Le mieux est de procéder par suggestions successives.

— Leur nom ? risqué-je, attaquant par l'espoir le plus insensé.

— Comment voulez-vous que je le susse ?

— L'endroit où ils habitent ? poursuis-je avec l'intrépidité que donne l'espoir.

Là, son hésitation me met en liesse avant-coureuse.

— L'endroit, fait-elle, je ne saurais pas ; par contre, le coin, là, y a des chances.

Oh ! la chère chérie ! La belle âme d'amour ! La bienveillante créature ! L'ineffable rencontre ! Tu sais qu'elle me fait mouiller, mine de rien ? Je te jure que j'humecte ! Tiens, vise mon chipolata, il fait des bulles !

— Racontez, dites tout, je suis suspendu à vos trois lèvres, imploré-je.

— Je promène souvent mon chien par les petites rues où c'est plein de belles villas. Il y a des arbres. Il aime les arbres.

— Un chien poète, extasié-je.

— Non : ça l'incite pour ses pipis.

— Il pourrait se contenter de réverbères. Mais il lui faut des arbres, à cet animal ; des vrais, en bois, avec des branches et des feuilles ! Quelle admirable bête. C'est un loulou de première année, je gage ?

— Non, un fox.

— L'amour ! A poil ras ?

— En effet.

— J'en étais certain. Il y a qu'un fox à poil ras pour vénérer les arbres. Ces animaux sont des druides à quatre pattes ! Et donc, vous le promenez dans les quartiers résidentiels, ce chien aux goûts artistiques si développés ?

— En effet, répond-elle (car elle raffole de l'expression).

— Et dans ce lieu calme et cossu, vous avez aperçu vos habitués du Vista Palace ?

— Deux ou trois fois.

Ah ! comme je la vénère. Elle mesurerait au moins un mètre cinquante, j'essaierais de la sodomiser dans le hall tapissé de vieilles photos, pour lui expliquer ma grattecultitude. Devant Marlène Dietrich, Mireille Balin, Roland Toutain, Georges Milton.

— Une fois, la dame descendait d'un taxi. Une autre fois, il faisait beau, elle marchait au côté de son époux.

— Douce dame, roucoulé-je, si cette personne blonde descendait d'un taxi, c'est qu'elle était arrivée à destination, donc vous devez reconnaître la maison devant laquelle elle s'est fait stopper.

Mais la caissière dénègue de la tête, ce qui lui fait perdre une barrette. Je la lui ramasse avec dévotion.

— Sa rue est en sens unique, dit-elle. Elle est descendue au carrefour et a continué à pied.

— Si elle a poursuivi sa route pédestrement, c'est

donc qu'elle demeurait tout près, sinon elle aurait prié le taxi de faire le grand tour.

— Ben, oui, probable, admet-elle.

Je capte sa chère main gercée, déformée par son appareil distributeur de billets, la pétris comme s'il s'agissait de la main de ta sœur.

— Ma voiture est là, accepteriez-vous de me guider jusqu'à l'endroit auquel vous faites allusion ? Naturellement je vous raccompagnerais chez vous aussitôt après.

Elle hésite :

— Vous êtes réellement de la police, au moins ?

— Voyez vous-même ! dis-je en extirpant Hortense (1) .

— Bon. Alors d'accord.

Et elle achève de tirer la grille.

(1) Objets inanimés avez-vous donc une âme ? Oui. Alors je décide de baptiser ma carte professionnelle « Hortense ». Et voilà !

San-A.

SHOOT

— Tu vas reprendre ton premier métier, annoncé-je à Jérémie Blanc.

— Balayeur ?

— Pour quelques heures, tout au moins.

Il sourit de tout son clavier universel.

— Pourquoi pas ?

Je lui explique qu'il devra ramasser à la pelle les feuilles mortes d'un quartier de Boulogne en fredonnant du Cosma.

— La femme blonde à laquelle Daniel Fluvio avait fixé le ranque, tu as eu l'opportunité de l'apercevoir place de l'Opéra ?

— Elle était fringuée en rouge ?

— C'est cela même. Il semblerait qu'elle demeure à Boulogne. Je vais te montrer le secteur à couvrir et, dès demain, tu y séviras jusqu'à ce que tu retapisses cette friponne.

Loin de le mortifier, la perspective de s'affubler d'un bonnet de laine, de gants fourrés, et de promener un balais en branchettes d'osier le long des trottoirs l'amuse. Il est toujours plaisant de jouer à l'indigent quand on ne l'est plus. Au contraire, ça te souligne les félicités acquises. En fait, j'ai remarqué que le seul grand obstacle de la vie, c'est le présent, il est notre vraie vérole, notre chiendent, notre colique verte. C'est lui qui nous esquinte, nous vieillit, nous tue. La merde, comprends-tu, c'est que tu le vis sans jamais pouvoir te référer à l'avenir. Si la projection du futur était possible, on ne serait jamais mort de la rage, y aurait pas eu de guerre de Quatorze ni de mur de Berlin, toutes choses extrêmement fâcheuses et éprouvantes. Mais le présent reste obscur ; c'est un assemblage d'ignorances. On le croit définitif parce qu'il EST.

Et comme l'homme ne possède pas et ne possédera jamais la faculté de dépasser ce qui EST, il se fait et se fera toujours niquer. Il vivra éternellement l'INSTANT. Mais l'INSTANT, c'est de la perfidie, de l'illusion matérialisée. Ça se déprogramme en étant. C'est sans perspectives. Et comme je sais cela, je me fais toujours chier dans l'instant, à de rares exceptions près. Seul adjuvant : aimer et créer. Ça ce sont des moments flammes ! Chaleur et lumière. Mais vite éteints. *In the* babe ! Je parie que je te casse les roustons, Gaston ? Bon, on change de disque. Je te mets la face 2 : retour à Boulogne avec le Noirpiot.

Je lui indique le fameux carrefour où m'a drivé la dame au bec-de-lièvre :

— Elle pense que notre cliente crèche dans cette rue sur la gauche, mais n'en est pas tout à fait certaine. Ce sera à toi de jouer.

Ensuite, ruée sur Paris. Je me pointe avec retard au *Fouquet's*. Madeleine, la scripte au slip parme, s'y trouve déjà depuis une demi-heure devant un verre de porto. Elle s'est saboulée bourgeoise : tailleur pied-de-poule, chemisier blanc, cape de lainage à franges, plus un collier de perles Burma.

De loin, je commence déjà mes mimiques d'excuse. Fonds sur elle et lui roule une jolie galoche champs-élyséenne qui coupe court aux explicances navrées. Elle est jolie. Plutôt classe. Bien fardée. Hors des studios, elle fait seizième à n'en plus pouvoir, cette greluse. Je flaire la fille à papa que le cinoche passionne. Ça fera l'objet d'une converse ultérieure en cas de besoin. Toujours se préparer des thèmes de jactance quand on sort une gertrude pour la première fois. Pas laisser languir les propos. Faut emballer, chauffer, rajouter le sel de l'esprit en saupoudrant large. Les mutismeries, c'est pour ensuite, quand t'as ton coup de bite au bain-marie et que le moment est venu de chiquer les romantiques : Musset, Chopin, main dans la main, z'yeux dans les z'yeux ; que la parole est aux ondes languissantes qui trémolent doucettement les culottes.

Seulement, avant de jouer du silence, faut s'être montré brillant. Avoir fait ses preuves dans l'éloquence. Le vrai mutisme, c'est, des mots qui se taisent. Quand t'en as dévidé à profuse, le geste continue la pensée. Moi, lorsque je sors une sœur (dans l'intention de la rentrer), je construis un schéma de jactance. Dans l'eau-cul-rance, lui parler de sa vie, de son métier, intelligemment. Eviter les clichés, les questions bateau. Pas non plus chiquer au gusman informé qui étalage son savoir et s'exprime dans la clinquaille. Du pertinent. Intelligent, quoi ! Mon style. Même les connasses apprécient.

Je me cogne mon Pim's d'élection, toujours superbe au *Fouquet's,* je te l'ai déjà exprimé au paravent.

— Vous avez faim, ma chérie ?

— Comme vous voudrez, répond-elle.

Là, j'entrave pas. Mon sourcil droit lève la patte pour le lui indiquer. Elle s'explique :

— J'ignore à quel genre d'homme vous appartenez, commissaire ; est-ce à celui qui déteste les pécores frugales ou à celui qui méprise celles qui bouffent ?

J'éclate de rire.

— J'aime bien qu'une femme ait un appétit normal.

— Alors, j'ai plutôt faim.

— Venez ! On va chez Guy Savoy s'éblouir les papilles.

Le cher barbu nous trouve deux petites places intimes qui nous mettent les genoux en botte de poireaux. Je lui dis de nous servir ce qu'il veut parce que chez des chefs de ce calibre, t'as rien à craindre des contrefaçons, et on sirote tendrement un champagne-framboise frappé impec.

— Ça marche, votre enquête ? questionne ma Deleine.

— Elle est toute neuve, il faut qu'elle prenne son élan. Vous avez fréquenté Daniel Fluvio ?

— Professionnellement, un peu. Sinon, c'était pas mon style.

— Quel jugement portiez-vous sur lui ?

Elle ne me laisse pas moisir :

— Un douteux. Bon à tout, propre à rien. Beau gosse, le sachant, l'exploitant, même. Il traînait une réputation de mâle performant, ayant des pratiques bizarres.

— La flagellation ? demandé-je, pensant au fouet trouvé dans son coffre de voiture.

— Entre autres gâteries, oui. Il aimait les femmes-esclaves. Par conséquent il usait, m'a-t-on dit, de toute la panoplie adéquate. Il n'avait pas bonne presse dans le milieu ciné-télé, et ses prestations se faisaient de plus en plus rares.

— Comment expliquez-vous qu'il ait été engagé pour ce tournage en Extrême-Orient ?

— Le directeur de production, un Américain, a participé à des parties fines avec Fluvio. En fait, ses seuls engagements découlaient de ses partouzes. Quand il débarquait sur un plateau, on pouvait être assuré qu'il traficotait avec quelqu'un de la production.

— Comment s'est effectué son séjour à Hong-Kong, puis à Singapour ?

— Il s'en est donné à cœur joie car la prostitution, là-bas, est d'envergure.

— Qu'est devenu le producteur dont vous me parlez ?

— Il est rentré aux U.S.A.

— D'autres personnes de l'équipe assistaient aux festivités organisées par Fluvio ?

— L'actrice principale Elianor Dakiten. Une nympho de première grandeur !

— Elle est anglaise, non ?

— Plutôt danoise, mais elle vit à Paris.

— Qui encore ?

— Maurice Bitambe, le cascadeur. Il y avait des poursuites en hors-bord dans la baie de Hong-Kong, entre les jonques et les sampans. Je vous cite ces deux personnes parce que la chose était de notoriété publique, mais Fluvio a dû avoir d'autres adeptes parmi les gens de l'équipe. Seulement celle-ci était très composite : Américains, Anglais, Français, Asiatiques.

— Madeleine exquise, durant votre séjour là-bas,

avez-vous entendu parler d'une organisation appelée « Le Singe Blanc » ?

— Absolument pas.

Je griffonne les noms qu'elle m'a cités dans mon calepin et je décide de lui lâcher les baskets. Il est l'heure de laisser le gentleman séducteur prendre le pas sur le poulet fureteur.

Lorsque nous quittons le restaurant, après un bouffement à classer monument historique, nous avons la satisfaction de constater qu'il ne pleut plus. Le quartier Wagram-Etoile rutile.

Pour tout te dire, du point de vue de la tendresse, je suis resté à la périphérie de la bienséance. Comme je l'avais deviné, Madeleine est d'un milieu huppé (Ferdinand Jouvrier, son père, est ambassadeur de France dans un pays d'Amérique du Sud) ; ce n'est pas sa qualité de fille à papa qui me freine, mais un manque d'entrain de ma part, ce qui est rarissime chez moi. Au lieu de charger, je ronronne. Mon cerveau est mobilisé par l'enquête et je ne parviens pas à faire se tenir tranquilles les images qui le chanstiquent. Je revois la place de l'Opéra, la blonde en rouge, l'arrivée de Fluvio dans sa charrette décapotée, les motards flingueurs... Et puis la masseuse malaise et son champignon moisi de père qui lui enjoint de ne plus me traduire la bande sonore.

Drôle de coco, ce Fluvio. Mais, malgré ses méthodes expéditives, quelque chose me dit qu'il ne faisait pas vraiment « le poids ». Sa photo est éloquente. C'est celle d'un branleur culotté. Je suis convaincu qu'un bon crochet au bouc neutralisait ses entreprises arnaqueuses. Un connard avec une boucle d'oreille, ça se pisse dessus ! D'une mandale, tu lui fais lâcher son flingue, son fouet et même sa bite !

Il se prenait pour un terrible, mais c'était pas Dillinger, tout juste Al Capote. Organisateur de partouzettes, il chibrait bien, ça, je lui fais rétrospectivement confiance. Il manigançait sans aucun doute des coups pendables et aucun scrupule ne l'arrêtait, néanmoins ça restait un couard.

Mon manque d'enthousiasme casanovesque, je le déplore car je déteste décevoir une mémé qui attend l'embellie. D'autant que je me promettais de la régaler, Mado. Déjà, sa petite culotte pervenche m'avait démarré l'apothéose braquemardesque. Je rêvais de sa fine moustache sud, si claire. Me promettais une séance de style. Un solo de guimbarde dans son sous-bois ! La flûte de Pan. Le fifre baveur ! L'enfourchement cosaque et bien davantage ! Elle paraît si méritante, cette momaque ! Loyale de partout, proprette au réel comme au figuré, la chatte briquée complet. Un petit joyau de plumard ! Gesticulant des miches à bon escient, sans flafla ni tralala. Le juste milieu, quoi ! Lui asperger le persil doit confiner au sublime. Depuis plusieurs heures, je rêvais de la carillonner à tout va, de lui chanter l'introït, mam'zelle. Et puis tu vois, mes tourments de pro me détournent du fignedé et j'ai pratiquement plus envie de lui amidonner la chaglatte. Quelle honte ! un homme comme moi !

Elle a bien senti ma débandade. Mais comme c'est pas une bêcheuse sucrée vanille, elle s'en prend à elle-même, se culpabilise, se demande si ce serait pas son sex-appeal qui foire.

Alors, mister ma pomme, une fois qu'on se retrouve dans la Ford que m'a prêtée Octave Laburne (si tu as bien pris note, les garagistes qui travaillent dans la chignole grand standinge roulent personnellement dans des caisses de série, fiables et sans histoires), je crois bon de jouer franc-jeu :

— Ecoute, ma tendresse, je te fais un blocage en ce moment. Tu sais pourquoi ? Parce que j'aurais dû procéder à une visite capitale que je n'ai pas faite. Ça m'est apparu pendant le repas et je suis à ce point obnubilé que cela m'empêche de savourer tes charmes délicats. Dieu sait combien ils me tentent cependant. Je devine que te minoucher le Riquet (1) constitue le sommet de la félicité, dis-je en lui caressant le genou.

Elle en possède deux, parfaitement ronds. Important, les genoux chez une gonzesse. J'ai connu des frangines étourdissantes qui s'en trimbalaient de vilains : cagneux, bosselés, de traviole. Ça me filait de la disjonction dans le calbute, tellement je suis épris de perfection.

Elle sourit frêle, murmure :

— Cette visite, c'est chez Fluvio ?

— Gagné ! ébahis-je.

— Il vous faut un mandat de perquisition, je suppose ?

Je sors mon sésame de ma vague.

— Le voilà !

— C'est un ouvre-boîte ?

— Presque ; aucune serrure ne lui résiste. Je le tiens d'un vieux malfrat mort au champ d'honneur en craquant une bijouterie. L'enfoiré de joallier avait un tromblon à portée de main et lui a bricolé dans la poitrine un tunnel large comme celui qu'on

(1) Allusion à *Riquet à la houppe*. Donc, lorsque San-Antonio parle de « minoucher le Riquet », il entend « minoucher la houppe ».

Bertrand Poirot-Delpech.

creuse sous la Manche. Les gens s'en tamponnent de devenir des assassins pour préserver un peu d'or inanimé et sans âme.

Et, tout de go :

— Tu es chiche de venir avec moi? attaqué-je secco.

— Chez Fluvio ?

— Drôle de propose, non? Après ça j'aurai l'esprit en repos et la braguette en effervescence. Je saisirai délicatement ta petite coque entre le pouce et l'index et je lui pratiquerai une tyrolienne de cresson dont tu me diras des nouvelles.

Elle sourit.

— Vous savez, je ne suis pas une nympho. Je sais apprécier une soirée avec un homme qui ne me saute pas !

— Tu n'as pas répondu à ma question : tu m'accompagnes ?

— Bien sûr !

L'immeuble est vétuste mais sympa ; gris et ventru, il domine la banlieue nord de Pantruche. Y a des pots de réséda sur les rebords de fenêtres et même une cage à oiseaux vide, dont les occupants sont probablement morts, et qu'on a laissée en place pour faire comme si pas.

Daniel Fluvio a son blaze sculpté au Dymo, en blanc sur rouge, en travers d'une boîte aux lettres métallique dont le bas est percé de trous pour permettre de vérifier si l'on a du courrier sans avoir besoin de déponner.

Le défunt lascar habite au premier. Cette fois, son blaze s'étale sur la porte en caractères géants découpés dans une affiche et collés sur le panneau supérieur. Il était modeste, Fluvio.

Chose curieuse, je perçois de la lumière, des rires, des bruits, notamment celui d'un rot phénoménal. Pour ne pas être en reste, l'un des occupants se met à craquer une louise, mais après tout, peut-être s'agit-il du même qui serait biloque.

J'enfonce le bouton blanc, très rudimentaire, d'une sonnette grosse comme un téton de rosière.

Des voix disent :

— Tiens, v'là du trèpe !

— C'est peut-être Dany qui rentre ?

— Penses-tu, il a la clé !

On ouvre. En face de moi une fille débraillée ; elle porte un short noir fendu sur les côtés, une liquette haillonneuse.

Avec la graisse de sa chevelure, tu peux assurer les beignets de tous les restaurants du cœur. Elle m'a l'air camée jusqu'à la moelle. Son regard fait une double spirale, elle tète un mégot malodorant, marche nu-pieds et se gratte la raie des miches. La classe !

Elle attend puis, comme je la flashe sans piper, questionne laconiquement :

— Ouais ?

— Ouais ! réponds-je en entrant.

Elle a beau être très jeune, sa beauté est obsolète, comme dirait ta concierge, celle qui se rase au désherbant.

Tu parles d'une tabagie ! Irrespirable. Un bordel inouï. Deux garçons torse nu, l'un est en slip cradoche, l'autre en jean troué ; plus une autre fille du même style que la première. Remake des *Bas-fonds* version 90. Bouteilles vides, petits récipients d'étain contenant des reliefs de nourriture, couvercles de boîtes emplis de cendres et de mégots, seringues éparses, photos obscènes *from the walls,* comme disent les Japonais en voyage. Si tu veux avoir un aperçu de la lie humaine, rejoins-nous, je t'invite. Quatre épaves. Quatre jeunes déjà irrécupérables dont les parents n'ont plus d'espoir qu'en une overdose carabinée, pour solde de tout compte. Alors eux, le bouton blanc, ils le portent même pas à la culotte. C'est carrément l'antichambre de la Maison Borniol !

Ils me défriment de leurs vasistas évasifs.

La môme qui nous a ouvert s'enhardit chouïette :

— Qu'est-ce que vous nous voulez ?

— Police !

L'un des gars, le slipé, qui ramène sa fraise. Faut pas craindre les mandales.

— Les flics, je les ai au cul ! il déclare.

— Exact, fais-je en lui shootant un formid' péno dans la brouette tzigane ; la preuve !

Au craquement qui en consécute, je me dis que son coccyx vient de faire de la monnaie. Et ça se plâtre pas, ces mignons endroits ! Le gonzier en est comme pétrifié de douleur. Il se tient au garde-à-vous. Même de battre des cils ça lui répercute dans le trognon.

— Bon, fais-je, vous stoppez dix secondes la schnouffe et on bavarde. Sinon, tout le monde au ballon où vous n'aurez plus que l'odeur de vos dessous de bras pour vous camer !

SÉVICES

Dans le fond, tu vois, ils seraient plutôt gentils, ces gueux, une fois que t'as réglé leur pendule sur le méridien de Greenwich. Passifs en plein. Faut dire qu'ils font le complexe du boa : une fois chargés, ils pensent plus qu'à roupiller. Le monde leur devient improbable.

Je pointe mon index irréprochable sur l'épaule de la fille en liquette.

— Qui est-tu, toi ?

— Rirette, fait-elle comme si c'était une évidence.

— Qu'est-ce que tu fous chez Fluvio ?

— Je suis une amie. Il m'héberge.

— Et ces punks au rabais ?

— Des potes à moi.

— Ben dis donc, il ne fait pas bon te confier son appartement ! Question du ménage, tu traites ça à la grenade à manche et au bulldozer !

Elle hausse les épaules.

— Vous n'avez pas l'air au courant, tous, fais-je en les toisant.

— Au courant de quoi ?

— Vous ne regardez jamais la télé ?

— Si : quand y a un film dégueu sur Canal plus.

— Donc, les infos, connaît pas ?

— Pourquoi ?

— Daniel Fluvio est mort. On l'a flingué à quinze heures, place de l'Opéra.

Les chevaliers de la piquouze réagissent à travers leur coma endémique.

— Dany ! Mort ! bafouillent-ils.

— La tronche éclatée par un fort calibre. Qui dit assassinat dit poulets ; alors nous voilà. On s'inscrit dans la logique de mes choses, vous comprenez ?

Je vais ouvrir une porte, laquelle donne sur la chambre à coucher. Cette dernière fait un peu moins litière à grand spectacle que le living ; n'empêche qu'elle fouette la nuit du renard.

Je pousse la gosse vers le plumard.

— Dépose-toi, môme, et inutile d'ôter ta culotte, c'est pas pour une passe.

Elle obtempère mornement, ne paraît pas spécialement éprouvée par l'annonce du décès.

— Quel effet ça te fait d'être veuve ? cyniqué-je.

Elle a un regard de brebis galeuse à qui on projette un film de Marguerite Duras. Un regard plein de rien du tout, mais à ras bord.

— Il y a longtemps que tu vis avec lui ? j'insiste-t-il.

— Je vis pas avec lui : il m'héberge seulement.

— Pas de pointe, entre vous ?

— Pas plus qu'avec les autres !

Je vois. C'est une simple participante. Elle appartient au corps de ballet pour les partouzes ; sinon elle n'a droit à aucun régime de faveur particulier.

— Il t'a dit ce qu'il allait faire aujourd'hui ?

— Il m'a dit qu'il allait s'occuper d'une bourgeoise et il a pris le fouet.

— N'a pas précisé de qui il s'agissait ?

— Non.

— Tu le connaissais déjà au moment de son voyage en Asie ?

— Non. Ça fait un mois seulement qu'on s'est rencontrés.

— Il t'a parlé de ses projets de boulot ?

— Il m'a juste dit qu'il était sur une affaire importante qui risquait d'être juteuse à l'arrivée.

— Seulement, il n'y a pas eu d'arrivée, soupiré-je. Dis-moi, il avait un bon copain avec qui, je crois, il faisait équipe ?

— Marien ?

— Possible. Marien quoi ?

— Je ne sais pas : Marien tout court.

— Il habite où, ce mec ?

— Je ne sais pas.

— Daniel le contactait comment.

— Il lui téléphonait.

— Alors où est son numéro de téléphone ?

— Peut-être sur le carnet près de l'appareil.

— Va me le chercher !

Elle.

Durant son absence, j'explore le placard mural servant d'armoire. Des costards, des blousons, des pompes. Deux tiroirs emplis de chemises et de tee-shirts. Au fond de l'un d'eux il y a un minuscule album de photos dont les pages sont en plastique transparent. Chacune d'elles recèle un cliché et tous ces clichés sont consacrés à la même personne : une ravissante Asiatique prise dans des lieux différents mais cossus : hall de palace, salon d'apparat, piscine, tennis, etc. Il y en a même une qui montre la personne en question assise dans un fauteuil majestueux, installé sur une estrade et qui fait songer à un trône. D'ailleurs elle est en robe de gala, façon tunique, boutonnée haut et porte des bijoux écrasants dont chacun représente probablement le budget militaire de l'U.R.S.S. Sûr certain qu'il s'agit d'une huile de la jet internationale. J'enfouille l'album recta. Là-dessus, la pensionnaire de feu Fluvio revient avec un carnet de forme allongée, loqueteux malgré sa couverture cartonnée sur laquelle est dessiné un combiné tubophonique.

— Merci, môme.

Je délimite la lettre « M » et mate la brève liste de blazes qui se trouvent consignés sur cette page.

Médecin : Dr Delurêtre, urologue. Dr Blanchemoud, généraliste. Dr Lambroque, kinési.

Ensuite, il y a *Maman,* suivi d'un numéro de turlu à Nice.

Puis viennent : Michel C., Marien S.

Ensuite tu as le mot « Minettes », avec une liste d'une dizaine de prénoms : Barbara, Bernadette, Adélaïde, Sophie, Nicky, Laurette, Edmée, Angélique, Natacha, flanqués chacun d'un numéro de tube. Probablement s'agit-il du cheptel de secours auquel Fluvio faisait appel pour ses soirées épiques ?

Je parviens à loger le carnet dans mon autre poche. Je déteste gonfler mes vagues car ça déforme les costards. Et moi, l'élégance, tu sais combien j'aime ça. C'est une politesse que j'accorde à mes contemporains. Quelqu'un de bien saboulé est plus agréable à fréquenter qu'un gonzier négligé.

L'épave attend la suite de mon bon plaisir, résignée à tout ; plus que passive. C'est un contenu sans âme, prêt à épouser la forme de n'importe quel contenant.

— Marien, tu le connais ?

— Bien sûr.

— Quel genre de garçon ?

— Méchant !

— C'est-à-dire ?

Elle hausse les épaules et répète :

— Méchant.

— Il t'a fait du mal ?

— Il engueulait Daniel de m'héberger.

Elle aime le mot héberger. Je parie qu'elle ne le connaît que depuis peu de temps, alors elle s'en repaît.

— Daniel en avait peur ?

— Je ne sais pas ; non, je crois pas. Il se faisait mettre par lui.

— Ah ! il engouffrait de la rondelle, Daniel ?

— Juste avec Marien, je crois.

— Tu les as vus fonctionner ?

— Marien voulait que je lui lèche le dessous pendant qu'il prenait Dany.

— Sympa, les grandes familles ! Sur ce carnet, se trouve également un Michel, tu connais ?

— Non.

— Il était malade, ton logeur ?

— Pourquoi ?

— Des toubibs figurent sur ce carnet, entre autres un urologue.

— Il avait des calculs. Par moments, des crises le faisaient se tordre de douleur.

— Bon, ce sera tout pour l'instant. Montre-moi ta carte d'identité.

Elle retourne au living, moi à ses basques. Le mec au torse nu est en train de faire minette à sa copine tandis que son camarade de dépravation se tirlipote l'asperge sans trop espérer de résultat. Je te parie la montre en or de ton grand-père contre la photo de Bérurier qu'ils agissent ainsi seulement pour choquer Madeleine. Une manière de se foutre de notre gueule. Ma gentille scripte les regarde se démener d'un air plus écœuré qu'intéressé.

— Venez, lui fais-je, on s'en va. Si vous allez au zoo de Vincennes, demain, vous verrez beaucoup mieux dans le secteur des singes !

J'en suis à la période indécise où tantôt l'on tutoie, tantôt l'on vouvoie. Faut une belle baise massive pour fixer la première formule définitivement au firmament de nos relations.

— Je vous dépose chez vous ?

Elle hésite.

— Vous rentrez vous coucher ? demande-t-elle.

— Non, j'ai encore du boulot ; une enquête, c'est comme un soufflé : ça n'attend pas.

— Je peux vous accompagner de nouveau, je trouve ces visites nocturnes passionnantes. J'ai l'impression de tourner un film ! Un vrai. Un bon !

— Hum, là où je me rends, ça risque d'être turbulent, vous savez.

— A plus forte raison.

— Si vous preniez un mauvais coup, je ne me le pardonnerais jamais.

— Eh bien alors, je n'en prendrai pas ! riposte Madeleine.

— Je ne me doutais pas que j'allais passer une partie de la nuit avec Jeanne Hachette !

Le temps de tuber, depuis un bistrot, aux renseignements téléphoniques de la Maison Perdruche, et je me présente en bonnet difforme (comme dit Bérurier) à l'hôtel *Blatte et Confort,* rue du Chassepot. C'est là que Marien, le copain sodomite de feu Fluvio, crèche.

Hôtel un peu plus que borgne ; je dirais carrément

aveugle ! Façade lépreuse, volets impeints dont certains reposent sur un seul gond, porte vitrée aux carreaux dépolis-fendus. Un méchant globe fixé au-dessus de l'entrée est éteint et les caractères annonçant « hôtel » sont si écaillés qu'on les devine plus qu'on ne les lit.

Nous pénétrons dans cet antre. Au fond d'un couloir puant et sombre se trouve quelque chose qui voudrait ressembler à une réception, mais qui n'est qu'un obscur guichet.

Personne derrière. A l'exception d'une ampoule assombrie par l'inconstipation des mouches, aucune lumière valable pour permettre d'évoluer sans risque. Cet établissement n'est même plus un hôtel de basses passes. T'as pas une radeuse chtouillée jusqu'à l'âme qui accepterait d'y traîner un vieux bougne syphilitique.

Je tambourine contre le guichet en demandant « Quéqu'un ? » Mais c'est zob et va-te-faire-voir dans toute son ampleur.

Je mate le tableau aux clés : il n'en est aucune d'accrochée, d'où je conclus que tous les locataires du *Blatte et Confort* sont zonés, y compris donc celui que je viens visiter.

Avec cette superbe impudence qui me caractérise, j'escalade le guichet et explore le rayon placé dessous. J'y dégauchis un vague registre à couvrante entoilée et étoilée de taches de graisse. Comme tous les hôtels, y compris ceux de catégories triple zéro, sont tenus d'avoir cet accessoire, j'étais convaincu de le trouver. Mon index arpente les colonnes de noms (arabes et yougoslaves pour la plupart) jusqu'à ce que je trouve celui de Simon Marien, descendu le 4 février. Chambre 17.

Je refranchis l'osbtacle.

— Vous allez m'aider, dis-je à Madeleine.

Vivement que je la baise, celle-là, afin de la tutoyer une bonne grosse fois pour toutes. Toujours cette valse hésitation. Tu n'es vraiment à « tu » avec une gonzesse que lorsqu'elle est à « toi ».

— Volontiers.

— Vous frappez à la porte du 17. Son occupant risque de demander qui est le visiteur avant d'ouvrir, vous lui répondrez que vous êtes une amie de Fluvio.

— D'accord.

Déterminée, la môme. Je vais te dire : elle a confiance en moi. Me prend pour Kid-le-vengeur, l'intrépide, celui qui vient à bout de tous les adversaires et franchit les pires obstacles.

Toc, toc, fait le doigt replié de Madeleine.

— Qu'est-ce que c'est ? répond une voix enrouée par un début de sommeil, l'alcool, voire, pourquoi pas, une angine.

— Une amie de Daniel Fluvio.

— Un instant.

Grincement d'un sommier qui a dû en voir de dures (et sûrement aussi de molles) ; froissement d'étoffe. On dégoupille la targette.

Un mec tirant sur le roux, avec une queue-de-cheval (aux cheveux), un léger strabisme convergent, une pommette un tantinouillet enflée et un regard de tigre qui vient de se faire marron par une gazelle véloce surgit dans l'encadrement. Torse nu, slip. Belle paire de balloches à l'évidence, ou alors il a eu le temps de se cloquer un kilo de patates dans le Kangourou.

Il nous considère sans tu sais quoi ? Aménité.

— On dérange ? fais-je, en m'avançant.

Comme il ne s'écarte pas, je le pousse avec douceur à l'intérieur de ce qu'il convient d'appeler une chambre puisque nous sommes, paraît-il, dans un hôtel, mais qu'en d'autres circonstances je qualifierais de chiottes de gare ougandaise. Un lit-cage, plus cage que lit, une armoire en contre-plaqué, une chaise, et point, c'est tout, à la ligne.

Un peu médusé, le gars, mais la teignerie le réempare fissa.

— Faut pas vous gêner, il gronde.

Je lui vote un sourire angélique que j'ai aperçu y a pas si naguère sur un vitrail de la cathédrale de Chartres et dont j'use depuis dans les circonstances délicates.

Il déclare, montrant Madeleine :

— Elle dit qu'elle est copine avec Fluvio ?

— Elle n'a pas le genre à ça, hein ?

Peut-être le moment est-il venu de lui présenter ma carte matuchienne. Dont acte. Il sourcille à peine.

— Je croyais que les flics n'avaient pas le droit de se présenter au domicile des gens avant le lever du soleil !

— Ça c'est bien vrai, ça, mèrdenis-je.

J'ajoute :

— Mais dans les cas d'urgence ils peuvent se permettre des entorses.

— Y a pas d'entorse qui tienne, barrez-vous !

— Sinon tu appelles la police ? ricané-je comme Satan quand il vient chercher l'âme de ce pauvre con de Faust.

— Si vous vous cassez pas, je rameute ! fait-il. Je prends tous les clients de l'hôtel à témoin et...

— Vous voulez bien fermer la porte, Mado ? demandé-je à ma compagne.

Elle obéit et y reste adossée, mains au dos, attentive, ravie, je parie. Les gnardes, ça les excite, un différend entre matous. Elles raffolent des affrontements. Une autre manière de leur détremper le slip.

— Sois pas belliqueux, Marien, soupiré-je, y a urgence. Il faut qu'on cause, mon grand.

Ce gustou est un emporté. Un violent. Colérique à ne pas pouvoir se contenir. Ce que ma grand-mère appelait « une tête brûlée » !

— J'ai rien à dire.

— Qu'est-ce qui se passe si je ne bouge pas de ce taudis, l'aminche ?

Ses poings se crispent.

— C'est moi qui me barre, avertit le cheval fougueux.

Sa barbe ajoute à son look voyou. Le nez un peu en bec d'aigle, il a. Les lèvres très minces.

Soudain, il saisit son jean accroché au montant du lit et l'enfile. Puis c'est un vieux pull verdâtre. Enfin, des tennis tellement cradoches qu'elles sont devenues des espèces d'œuvres d'art, à l'instar (comme on disait puis autrefois dans la presse) des grolles dessinées par Vincent Van Gogh. Il s'avance vers la lourde comme un grizzli sur une ruche.

Madeleine, vaillante au-delà de tout, ne bronche pas.

— Tire ton cul, la mère, ou je fais une tronche ! avertit Marien.

Immobilité stoïque de ma nouvelle potesse. Alors il la biche par le col de son chemisier et tire. Le chemisier se déchire, on découvre le sein droit de la ravissante scripte. Du moment qu'il y a voie de fait, je suis à couvert, non ? On ne pourra plus parler de bavure pour qualifier ce qui va suivre, j'estime. Assistance à personne en danger, y a même pas besoin d'être drauper pour intervenir !

Je m'avance, biche l'énergumène par la ceinture et l'arrache. Une seconde secousse, il est propulsé contre son lit. Il rattrape in extremis (je parle couramment le latin) son équilibre. Le sommier du pieu lui sert de trampoline et l'aide à se précipiter sur moi.

Ça, j'aime.

Je le bloque d'un coup de savate auvergnate dans les roustons, puis l'anesthésie localement d'un crochet au menton. N'ensuite, l'ayant biché par le pull, aux épaules, je l'éloigne un peu de moi et le rapproche précipitamment en ponctuant d'un formide coup de boule taurin dans la clape. Ecroulage de monsieur. Pas prêt à fumer des tiges, l'artiste. Pour lui, pendant quelques temps, ce sera le narguilé, et encore, en tenant la canule avec les dents qui lui restent. Ça forme bouillie bouillonnante sous son pif, lequel a dérouillé idem. Le raisin dégoule avec des morves en attente. Dans ce qu'il glaviote, t'aperçois des incisives plus ou moins jaunies par la nicotine. Sa langue part en reconnaissance derrière les brèches. Sa denture, c'est le mur de Berlin après le k.-o. des dirigeants est-allemands. Tu vois sa menteuse déterminer les dégâts. Il est sonné complet, envapé pire que par la forte dose qu'il s'administre en intraveineuses si j'en crois ses avant-bras.

— Ce sera le régime lacté, annoncé-je. Ajoute du miel, ça fortifie.

Je vais le bicher sous les brandillons pour le hisser sur son paddock.

— Tu vois, je suis un peu ta petite maman, fais-je. Ce qu'il y a de bonnard dans cette taule, c'est qu'on y est plus peinard que dans les catacombes. A présent, malgré tes difficultés d'élocution, on va s'expliquer. Sinon je t'arrose le museau avec le contenu de ce flacon de whisky que j'aperçois sur le plancher, histoire de te cautériser les plaies avant de te le casser sur la tronche. Tu ne comprends pas que les énergumènes comme toi constituent un régal pour un flic d'action comme moi ?

Il me roule des yeux de dingue. Je le pressens au bord des folies extrêmes, ce nœud. D'instinct, je glisse la main sous son matelas et je ramène un feu plutôt monumental que j'enfouille aussitôt. Je poursuis néanmoins mes recherches et c'est un lingue que je déniche sous le traversin.

— Ben dis donc, rigolé-je, tu crains les insomnies, mon pote ! Et plus encore les mauvaises visites.

Je me dis que j'ai été bien inspiré de faire ouvrir la lourde par Madeleine. Avec ce genre de branque, un coup dur est vite arrivé. Il était capable de m'organiser un petit Verdun vite fait en signe de bienvenue.

— T'as pas la téloche, ici, poursuis-je. Quelque chose me chuchote que t'es pas au courant des nouvelles du jour. Sais-tu que ton pote Fluvio est défunté à la fleur de l'âge, place de l'Opéra, en allant rambiner une dame distinguée que tu dois connaître ?

Non, il ne savait pas. Son expression incrédulo-stupéfaite l'atteste, et ce n'est pas le genre de gars capable de jouer Lorenzaccio en matinées classiques.

Pour bien asseoir l'événement dans sa comprenette, j'y vais au narratif.

— Il était au volant de sa Golf décapotable, malgré le temps chiatique. Et puis deux gentils motards casqués sont survenus, qui devaient le guetter. Le gars placé à l'arrière tenait un feu encore plus mahousse que le tien et a craqué la tronche de

Daniel. Tu le verrais ! A la place de son physique de théâtre, ne reste plus qu'un tartare peu ragoûtant. Si t'as envie de venger ton pote, c'est le moment, mec. Unissons nos efforts pour que je puisse serrer ses assassins.

Il reste à faire des bulles rouges avec sa bouche tuméfiée, le grand glandu sauvage. Il pourrait être irlandoche. Il a une tête pour *pub* cacateux de Dublin : tendance au roux, frime cabossée, cils d'albinos raté.

— D'abord, bébé, faut que tu me donnes l'identité de la femme blonde car, de toute certitude, c'est elle qui a programmé l'assassinat de Fluvio. Par elle, on remontera aux meurtriers, tu piges ?

— Je la sais pas, répond Marien.

Je secoue la tête en faisant des « Tst, tst », commisérés.

— Voilà que tu déraillles d'entrée de jeu, Marien. Après tu t'étonneras de te retrouver à l'hosto avec des plaies que tu cherchais à fuir ! Car tu vas passer par la fenêtre, mon pote, je te le promets solennellement. Je t'estourbe d'un coup de crosse et je te propulse sans même me donner la peine de l'ouvrir ; légère comme je la devine, elle résistera pas. Note que nous ne sommes qu'au premier étage, y a pas de quoi en faire une potée auvergnate. J'alerterai Police-Secours et madame, ici présente, confirmera que t'as voulu m'échapper. J'ai un pedigree au-dessus de tout soupçon. Ma parole est cotée au prix de l'once d'or.

J'extrais son feu en le bichant par le canon.

— Au fond, avec une tronche de lard comme toi, c'est pas la peine de tergiverser. Je profiterai de ton séjour à Cusco pour te faire le gag du sérum de vérité. Le médecin-chef est un pote à moi.

Il commence à avoir les flubes. Faut dire que je suis crédible. La façon que je comporte laisse pas de doute quant à ma belliquosité.

— Bordel, je vous dis que je ne connais ni son nom ni son adresse ! proteste-t-il.

— C'est cependant toi qui as placé une manchette à la nuque du mari, l'autre soir, au cinoche !

Là encore je marque des points.

— Oui, reconnaît le forban, c'est moi.

— Et tu ne connaissais pas ces gens ?

— Daniel m'avait demandé de l'aider. Il avait préparé son topo et on s'est filé rancart devant le ciné.

— Tu veux me faire croire que tu estourbis un bourgeois à la demande, sans savoir qui il est ni de quoi il retourne ? Eh ! dis, petit père, tu me chambres à mort ! Dans votre couple c'était toi le julot, c'est tézigue qui fourrais Daniel et pas le contraire.

Là encore il en revient pas que je sois au parfum de sa vie dans les moindres recoins (si je puis dire).

— Daniel m'a seulement dit qu'il voulait lever une gonzesse b.c. b.g. et qu'il lui fallait bien marquer l'objectif d'entrée de jeu.

— Pendant que tu te faisais le cornard au narcotique de paluche, Daniel roulait une pelle à sa morue, puis il lui a dit quelque chose que tu n'as pas pu ne pas entendre puisque des spectateurs situés deux travées derrière l'ont perçu.

— D'accord.

— Il lui a dit quoi ?

— De se trouver à 15 heures place de l'Opéra le lendemain.

— Sinon ?

— Sinon il révélait à la presse des choses relatives à la soirée du 28 janvier.

— Bravo ! Là, oui, tu files bon vent, Marien. T'as trouvé le cap ! Maintenant viens pas prétendre que ton giton ne t'a pas raconté ce qui s'est passé le fameux 28 janvier.

— Il m'a dit que la gonzesse était en partouze avec lui. Déchaînée, prétendait-il. Elle aurait enfoncé une fourchette à dessert dans les couilles d'un des participants.

— Le 28 janvier, il était à Singapour pour son film à la con !

Mon objection frappe Marien. C'est un esprit violent et fruste qui ne réfléchit pas plus loin que sa queue.

— C'est juste, admet-il.

— A moins que les faits n'aient eu lieu en Asie, me dis pas qu'une partouze organisée à Singapour est susceptible d'intéresser les médias parisiens. Sauf si Lady D. ou la reine Fabiola y participait, à la rigueur.

— Ben oui, grommelle le tuméfié. J'ai pas pensé à ça. Le 28 janvier, c'est déjà loin, je me rappelais pas que Dany était en tournage là-bas à cette époque.

Il paraît sincèrement troublé.

— Il t'a raconté ce qu'il a manigancé en Asie ?

— Ben, il a fait la doublure, et puis il s'est bien marré avec des gonzesses du coin.

— Au plan business ? Il aurait pas levé quelque affaire juteuse ?

Dubitation de Marien.

— Je crois pas, non.

— La petite radasse pourrie qui loge chez lui prétend qu'il était sur un coup intéressant.

— Il ne m'a parlé de rien.

Après tout, la discrétion de Fluvio se conçoit.

Marien est un chien fou, un casse-cabane avec pas grand-chose dans le bocal. Il aimait se laisser emplâtrer par lui, faire des déménagements sauvages en sa compagnie ; mais pour les affaires délicates, il préférait le tenir en dehors du coup.

Je lui montre le petit album contenant les photos de la belle Asiate.

— Tu connais ça, Hercule ?

— Non.

— Ton emmanché conservait ces portraits dans un tiroir de sa commode.

— Il me les a jamais montrés.

— On dirait qu'il te faisait pas mal de cachotteries, non ?

Il ne répond rien, boudeur. Cette évidence lui apparaît ce soir et ajoute à son désarroi. Peut-être ressent-il du chagrin ? D'un revers de la main, il essaie de torcher le sang qui résine de son portrait malmené.

— Daniel t'a parlé du « Singe Blanc » ?

Là, il abasourde :

— Du quoi ?

Bon, il est pas au courant. Dans le fond, il ne m'apprend pas grand-chose, ce con.

— Qu'est-ce que vous bricoliez, les deux, en dehors des belles enculades ?

Il détourne les yeux.

— Des arnaques, hein ? Dans quel créneau ? Drogue, prostitution, bagnoles ? Ou les trois en même temps ?

Il se met sur son séant.

— Pff ! rien de bien terrible, fait-il ; on s'expliquait comme on pouvait.

— Raconte !

— Franchement, d'après ce que je comprends, ça n'a rien à voir avec votre enquête.

— C'est à moi d'en juger ; alors ?

— Non, des bricoles.

— En matière criminelle, y a pas de bricoles, champion. Accouche avant que je remette le couvert. Tu vois, je m'étais calmé et déjà tu me contraries. T'es incorrigible ou t'aimes dérouiller ? Tu ne serais pas maso, dans ton genre ?

— Disons qu'on chaparde un peu.

— Quoi et à qui ?

Il a un sourire presque mutin derrière son ensanglantement.

— On tirait les sacs à main des mémés à la sortie des bureaux de poste ; mais rien de méchant, allez pas croire. On les bousculait à peine : une baffe dans la gueule et on engourdissait leurs pensions ; pas de quoi rétablir la peine de mort !

Le fumier ! Dépravé jusqu'à la moelle, ayant perdu tout sens moral. Pour lui, détrousser des grand-mères constitue presque un jeu. Il considérait ce forfait comme un péché véniel.

J'explose :

— T'es qu'un misérable, Marien. Une lope de chiottes ! La lâcheté personnifiée. Je suis content que ton saligaud de Fluvio ait la gueule éclatée. Si je m'écoutais, je te mettrais une basto sous le menton ! Molester et voler des vieilles, c'est pire qu'attaquer une banque. Ceux qui partent à l'assaut du Crédit Lyonnais, revolver au poing, sont encore des hommes avec des couilles dans le froc. Toi t'es rien qu'une abomination, une sous-merde décomposée. T'es une flaque de dégueulis ! Un rat crevé de la vérole ! On va s'occuper de toi, mon drôlet, espère !

Je lui claque un bracelet au poing gauche, passe la

chaînette derrière le montant du lit-cage et boucle le second anneau à son poignet droit.

— Je vais envoyer du monde te ramasser, mon salaud.

J'arrache la poire électrique pendue au-dessus du plumard et la lui fourre dans la bouche. Poire d'angoisse ! Après quoi il a droit à une méchante muselière confectionnée à l'aide de tristes serviettes trouées posées sur la tringle du lavabo.

— Ainsi, t'empêcheras pas l'hôtel de dormir, trou-du-cul !

Madeleine a suivi toutes ces péripéties sans broncher. Elle me suit dans l'escadrin aux marches geignardes.

Lorsque nous parvenons au rez-de-chaussée, elle s'arrête et murmure :

— Commissaire...

Je me retourne. Dans la louche pénombre, son regard brille comme de l'onyx (j'ai lu ça dans des chiées de polars à la noix : « le regard brillant comme de l'onyx » ; c'est con mais ça fait de l'effet sur les incultes).

— Oui ?

— Vous êtes un homme fabuleux. Je n'en ai jamais encore rencontré de pareil !

Moi, que veux-tu que je fasse ? Je la prends dans mes bras, la serre fort, lui broute la gueule, chatouille sa luette du bout de ma menteuse, trique comme un bâton de guignol, lui mets la main entre les jambes sous sa jupe, vérifie que l'émoi est intense, lui arrache goulument le slip (ce qui est moins facile que de le dire), dégaine mon tricycle de compétition, procède à l'introït après qu'elle se soit placée en position de départ, et exécute un mouvement de bas en haut égal au poids du chibre déplacé.

J'ai souvent tiré des nanas à l'hôtel, vraiment très souvent ! Mais jamais encore dans l'entrée desdits !

C'est une grande première !

Grande et grosse.

PLUMARD

La Muette. Une voie tranquille, douillette, meublée d'hôtels particuliers précédés d'étroits jardinets et de grilles noires. L'un d'eux est de style plus moderne, un peu art-déco-chiottes, si tu vois ? Tu vois ? Bon.

Je sonne et bientôt une silhouette floue se dessine derrière l'épais verre dépoli garnissant la porte. Un larbin est là, en uniforme dernier cri : pantalon bleu foncé, chemise-blouson jaune-caca-de-bébé boutonnée à la russe.

— Je souhaite parler à Mlle Dakiten, fais-je. Police !

Lui, c'est un anguleux blafard, avec un gros tarbouif façon Donald et des yeux expressifs comme deux perles de culture.

— Avez-vous rendez-vous ? s'inquiète-t-il sans paraître impressionné le moindre.

— Vous allez le prendre pour moi, cher ami. Un rendez-vous immédiat.

— Mademoiselle n'est pas visible, elle est au lit.

— Si les femmes alitées n'étaient pas visibles, la planète se dépeuplerait, plaisanté-je.

Mais il en faut beaucoup plus pour le dérider.

— Je regrette, il tranche (de cake).

— Pas tant que moi, fais-je en le poussant de ma dextre posée à plat sur sa livrée.

Il fait deux pas arrière, moi deux pas avant ; après quoi je referme la lourde.

— Ecoutez, mon vieux, lâché-je avec mon air méchant qui guérit les hoquets tenaces et les constipations chroniques, je ne suis pas là pour une contravention mais pour un assassinat, si bien que je n'ai pas de temps à perdre en tergiversations grotesques. Allez dire à votre patronne d'enfiler une robe de chambre, mais je n'en fais pas une obligation, et de m'accueillir séance tenante.

On échange un bras de fer oculaire, si j'ose m'exprimer de la sorte, et je gagne cette première manche puisqu'il détourne ses perles de culture de ma personne et s'engage dans l'escalier, ce qui est mieux que de s'engager dans la Légion, de nos jours où elle n'a plus grand-chose à branler. Avant, on allait tuer des nègres et c'était marrant. Désormais on joue au ping-pong, ce qui est moins défoulant.

Le hall est circulaire, encombré de plantes rares qui veulent donner une impression de jardin exotique, et tout ce que ça fait, c'est resserre de fleuriste. Comme il y a des banquettes garnies de velours, je dépose mon contrepoids sur l'une d'elles. Très peu de temps dégouline avant que l'esclave réapparaisse au haut des marches.

— Vous pouvez monter ! me lance le serf sans se donner la peine de venir me quérir.

Lui, le protocole, c'est du passé. J'escalade donc quatre à quatre, qu'au diable les bonnes manières. Le corvéable me précède sans un mot à une double porte dont il ouvre l'un des panneaux.

— Entrez !

La grande larbinerie, décidément, n'est plus ce qu'elle était. Les « droits de l'homme » sont venus brouiller les usages.

Je pénètre dans une très vaste chambre en rotonde. Nonobstant une loupiote opaline dans les tons safran, la pièce mijote dans des pénombres jouissives. Un immense lit rond en occupe le centre. On ne distingue que lui, plus la dame qui y est couchée. Moi, Elianor Dakiten, c'est pas la vedette qui me fera oublier Mia Farrow, Catherine Deneuve ou Sabine Azema. C'est la blonde pulpeuse qui a toujours pris son cul pour du talent, ses nichons pour un mode d'expression et ses lèvres de pipeuse pour le point culminant de la volupté. Sûr que la pauvre Marilyn l'a empêchée de dormir pendant des années, mais, à force de se décolorer pâle et de se faire filmer les jambes écartées sur des souffleries, elle a fini par s'y croire vraiment, la chérie. Elle n'en peut plus d'elle-même et joue les vamps dans des superproductions où elle trémousse du fion comme pas deux. Les baisers en cent quarante de large, les collants à l'arrière desquels sont imprimées deux fortes mains d'homme, les soutien-loloches troués, les guêpières de westerns, les regards chavirés, elle pratique tout ça avec brio, la mère. Ça constitue sa panoplie fracassante de tapineuse sur écran large.

Je la trouve sobrement vêtue d'une espèce de boléro en gaze gansée de soie blanche. Sur sa peau dorée, c'est payant. Ses draps sont ramenés à hauteur de son nombril, lequel me fait de l'œil ouvertement.

— Bonjour, gémit-elle. Vous rendez visite aux gens à l'aube, dans la police ?

Elle parle comme une qu'un gus fait reluire et qui l'implore d'aller plus doucement.

— Il est dix heures du matin ! plaidé-je.

— Je me suis couchée à sept ! objecte-t-elle. Vous êtes sans pitié pour les artistes ! Enfin, maintenant que je suis réveillée... Eh bien ! approchez !

— Commissaire San-Antonio, me présenté-je.

Et j'avance jusqu'à sa couche circulaire, ce qui me permet de découvrir au côté de la dame, caché par un moutonnement des draps, un jeune éphèbe basané, à la crinière afro. Seule sa tronche émerge mais je le devine en costume d'Adam très strict. Il dort à point nommé et à poings fermés.

Elle a suivi mon regard et murmure, attendrie :

— Ne dirait-on pas un chérubin ?

— Tout à fait, conviens-je, j'ai vu le même l'autre nuit dans un film porno où il jouait un conducteur de bus en train d'emplâtrer une passagère excitée.

Elle pouffe.

— Mais c'était lui, commissaire ! Le film s'appelle *Bus Zob*, n'est-ce pas ?

— Je l'ignore, étant tombé dessus par inadvertance et l'ayant quitté assez rapidement.

Elle dit :

— Puisque vous avez vu la séquence de la passagère, vous avez dû être frappé par les dimensions du sexe de Ramo, je suppose ?

— Il m'a paru considérable en effet, ne barguiné-je pas.

Elle glousse, rabat la literie, découvrant le ventre plat de son cosaque, sa toison aussi noire et crépue que sa tignasse et sa lance d'arrosage impressionnante. Bien qu'étant inanimée, la chopine du petit casanova laisse percer toutes les promesses qu'elle est capable de tenir.

— Bel outil, n'est-ce pas ? complaît la salope blonde.

— Ce n'est pas au B.H.V. qu'on peut trouver le pareil, admets-je-t-il.

Elle se penche et dépose un bisou sur le casque suisse du champion. Ce con vanné continue de pioncer. Lui, il n'a pas besoin de se farcir les portugaises aux boules *Qui est-ce,* tu peux projeter un film sur la chute de Berlin pendant qu'il pionce sans crainte de l'éveiller.

— Asseyez-vous ! propose la star du fignedé en tapotant son matelas comme l'on invite un clébard à coucouche-panier.

Je cède à sa propose. Son lit est parfumé avec une pompe à incendie et aussitôt je biche mal au bocal, moi si perturbable de l'olfactif.

Elle a son boléro ouvert à deux battants. J'ignore si elle s'est fait bricoler les frères Goncourt, mais je peux te dire qu'ils planturent vachement et qu'ils se tiennent parfaitement dans le monde.

— Vous connaissez la nouvelle, je pense, attaqué-je : Daniel Fluvio est mort. On l'a trucidé hier après-midi.

Elle lève les yeux au ciel comme si elle espérait y apercevoir l'assassiné.

— Place de l'Opéra, oui, j'ai su ça. C'est horrible. Un règlement de comptes, semblait dire le commentateur ?

— Vous l'avez connu en Asie, pendant le tournage du film dont vous êtes la vedette féminine ?

— Exactement.

— Et même bien connu, appuyé-je.

Elle sarcaste :

— Ne finassons pas, commissaire. J'ai baisé avec lui, si c'est ce que vous sous-entendez. C'était un beau gosse, et moi j'aime les beaux gosses.

Je trouve étrange qu'étant danoise elle n'ait pas

un pouce d'accent. Elle serait pas native de Copenhague-les-Oies, d'aventure, l'Elianor ?

— Il paraîtrait que vous avez même fait l'amour à plusieurs ?

— Ne me dites pas que vous en êtes choqué ! pouffe-t-elle. Je suis une sensuelle qui assume ses fantasmes. C'est un grave péché ?

— Pour cela, adressez-vous au curé de votre paroisse, je ne connais pas le barème.

Ça la fait marrer en grand.

— Sympa ! Vous êtes un flic sympa. Et séduisant. Vous savez que je me laisserais bien faire l'amour par vous au côté de mon Ramo endormi. Ce serait excitant, non ?

— Très. Malheureusement, j'ai déjà donné. A cinq reprises entre minuit et six heures ; j'ai besoin de me refaire une santé.

Et tu sais que je la chambre pas, la vedette. Mado, je l'ai bel et bien tirée à cinq reprises cette noye. Une fois à l'hôtel miteux, une seconde fois dans la bagnole qui, pourtant, ne présentait pas le confort de ma Quattroporte ; et puis trois fois encore à son domicile où elle m'a convié pour la nuit. La grande aubaine, cette scripte !

— Dommage, soupire-t-elle. Bon, Fluvio a été abattu. Paix son âme qui, à vrai dire, ne doit pas être très blanche. Alors ?

— Comme il vous a beaucoup divertie pendant le tournage, vous avez donc eu l'occasion de connaître ses activités, ses relations.

Elle éclate de rire.

— Il me vient une idée farce, annonçe la bougresse.

Elle saisit le mandrin de Ramo, le flatte, le malaxe à doigts de louve.

— Continuez de poser vos questions, commissaire. Vous ne trouvez pas outrageant que je caresse mon *love-boy* pendant ce temps, j'espère ?

— Vous êtes chez vous, dis-je ; c'est votre chambre, votre lit et votre chibre. Pendant la période Singapour, avez-vous entendu parler d'une organisation nommée « Le Singe Blanc » ?

— Comme c'est étrange.

La chopine du dormeur commence à renaître de ses cendres. Elle se dilate et un imperceptible frémissement, très encourageant pour Elianor, moi je trouve, la parcourt.

— Qu'est-ce qui est étrange ? osé-je insister malgré le suspense en cours.

— Un soir que nous batifolions à son hôtel, il a reçu un appel téléphonique. Il a dit à peu près ceci à son correspondant : « Ah ! bon, tu as eu le renseignement ? Comment dis-tu ? *White Monkey ?* Le *Singe Blanc,* quoi ? Drôle de raison sociale. » Puis il a ri et a ajouté : « Je vais le faire descendre de son cocotier, moi, ton singe blanc ! Attends, je prends de quoi écrire. »

« Là, enchaîne Elianor, il a noté un numéro de téléphone. Après quoi il a remercié et a raccroché. Il paraisait joyeux, comme s'il venait de réaliser une bonne affaire. »

— Merci, empressé-je, votre renseignement m'est précieux. Il n'a pas assorti ce coup de fil de commentaires ?

— Non.

J'extrais de ma vague le petit album de photos et le place sur les jambes de la vedette. Mais elle est en train de construire un édifice de bidoche avec le zob (je dirais bien le paf, mais tu pourrais confondre avec le paysage audiovisuel français) de son niqueur professionnel. C'est vrai qu'il est membré aux limites du raisonnable, le frisotté. Pour s'enquiller sa batte de baise-bol, faut drôlement écarquiller la moniche, espère. Ses partenaires doivent se ruiner en oléagineux !

— Vous avez déjà vu ça, commissaire ? demande-t-elle.

— J'ai même vu mieux, assuré-je, évoquant mon cher Bérurier ; cela dit, votre petit glandeur ferait un médaillé d'argent très honorable.

A présent, le mât d'artimon a atteint son volume de croisière et la goulue femelle se l'embouche au grand dam de sa mâchoire écartelée (toujours si je puis ainsi m'exprimer).

Elle parvient, sans effort apparent, à se l'engloutir aux deux tiers. Non, attends que je mesure : aux quatre cinquièmes. Tout en exécutant cette passe de tourtour (ou ce tour de passe-passe), elle me regarde avec un air triompho-jubilatoire. Cette môme, faut reconnaître son manque de bégueulosité. Pour elle, les jeux de l'amour ont priorité absolue et elle les accomplit sans les gâcher par la moindre gêne. Reine du cul, elle règne avec une totale simplicité.

— Vous aurez beau souffler dedans, elle ne deviendra pas plus grosse, je lui fais.

Là, elle faille s'étrangler à l'oral ! Pouffe autour de la grosse bébête dont elle se libère la glotte précipitamment.

— Vous allez me faire étouffer ! reproche-t-elle.

— Pardon. Si vous voulez bien jeter un œil aux photos rassemblées dans ce mini-album pour m'indiquer si vous connaissez l'intéressée, je vous laisserai ensuite réveiller complètement ce fringant étalon, promets-je.

Mais elle, c'est pas ça qu'elle souhaite. Partouzarde à ce point, elle ne demande qu'à renforcer les effectifs. Un qui voudrait se régaler à l'apéritif, il lui suffirait de se déplomber la braguette pour entrer dans la ronde salace, y aller aux reluisances en compagnie de toute la troupe, avec lâcher de ballons rouges et pluie de foutre en paillettes.

Elle sent que non, franchement, le commissaire tolère mais ne participe pas. Alors elle ouvre le petit album et jette une œillée aux photos. Je comprends, d'emblée, que ces photos lui « disent quelque chose ».

— Vous reconnaissez ?

Elle opine du chef, tandis qu'elle branle le marmiton pour lui conserver sa plénitude.

— C'est un personnage très connu là-bas : la fille du roi du bazar, l'homme le plus riche et le plus puissant de Singapour. Il a des fabriques et des maisons d'importation multiples. Les faux jades, les sacs et ceintures de croco, les statues d'Indonésie, les soies de Thaïlande, les masques chinois, les plateaux de cuivre, les céramiques, que sais-je, sont le monopole de Kong Kôm Lamoon. Il possède des journaux, des chaînes de magasins, des compagnies de navigation, des hôtels. Un Crésus chinois ! Ces clichés représentent sa fille unique Chiang Li, pour laquelle il a une dévotion. Cette jeune personne, qu'on appelle là-bas « la Princesse », mène une vie très occidentale et ses caprices défraient la chronique.

Salope, mais précieuse Elianor Dakiten ! L'est en train de me faire un « sans faute » de concours international d'équitation, la mère ! Deux questions délicates, deux réponses positives. J'ai rudement bien fait de venir !

— Je ne regrette pas de vous avoir réveillée, déclaré-je.

J'ajoute, montrant son « chérubin » presque conscient dont la bistoune effrène comme la baguette magique de feu Karajan.

— Et vous non plus, je gage, si j'en juge ce qui se prépare.

— Vous êtes content de moi, rayonne-t-elle.

— A vous en tresser des lauriers, ma chère.

— Alors je vous demande un instant, juste un petit moment, commissaire, supplie cette ardente.

Elle se dégage de ses draps, enjambe des genoux (dirait Alexandre-Benoît) son compagnon de pucier, dos à lui et dans un geste rafleur, un geste expert, sûr et dominateur, elle embouche du joufflu sa trompette de Jéricho. Opération moins preste que je ne l'écris. Bien qu'elle lui eût salivé le pollux, l'engagement rétice quelque peu.

— C'est beau, n'est-ce pas ? s'exalte l'insatiable pétasse.

— Sublime, accentué-je ; impressionnant comme une plongée du commandant Cousteau. Hercule disait : « Donnez-moi un point d'appui et je soulèverai le monde ! ». Il semble que votre hyper-chibré soit en mesure de réaliser le rêve de ce demi-dieu. Bonne continuation. En cas de surchauffe, suivez les conseils de Mme Rika Zaraï qui connaît bien la question : des bains de siège, des bains de siège et encore de bains de siège ! Mes hommages !

Et je prends part à mon départ, comme le dit avec brio Bérurier.

DEUILS

Sa majesté se collette avec un immense cahier. Nanti du valeureux *Petit Larousse*, dont on ne célébrera jamais suffisamment les mérites, il tord une pointe Bic de ses doigts inexoraux en tirant une superbe langue qui n'attend que sa vinaigrette pour assurer l'entrée d'un banquet.

Ma venue l'arrache à son labeur. Chose surprenante, de la sueur dégouline sur son front. Il a l'œil parti, la lippe désabusée et émet de légers pets en forme d'étoffe qu'on déchire par saccades. Quelque chose de sacré émane de sa personne. Une espèce de noblesse, moi je trouve. Une souveraineté impressionnante.

Je n'ose le questionner. Il met du temps à réaliser ma présence, tant il navigue en des limbes infinis. Puis il dit :

— Oh ! c'est toi.

— Oui, confirmé-je, manière de supprimer toute équivoque sur ce point, c'est tout à fait moi.

Après quoi, j'attends, sans trop d'espoir, qu'il m'affranchisse quant à la nature de son occupation. Il le fait par le biais.

— Ah ! c'est coton, la langue française, mon

drôlet ! soupire-t-il. On croit la savoir parce qu'on la cause, mais dès qu'tu l'écris, c'est la merde, mec. La merde pur fruit ! Tu voyes, moi, les verbes, jusque z'alors, j'leur pissais su' l'conjugable, et les injectifs j'me branlais d'leur concord'ment : j'causais tel que'j'sentais. Mais dès qu'tu rédactionnes, tu l'as dans l'cul véry profondly. Tout c'bordel part en foirade, te chie ent' les doigts. Suffit pas d'avoir d' bioutifoules idées, faut qu'tu pusses les esprimer en pur français...

Je risque la grande question à cent francs, toutes taxes incluses :

— Puis-je savoir ce que tu écris, Alexandre-Benoît ?

Il gravifie.

— Les mémoires d'mon zob, révèle-t-il.

Je crois avoir mal entendu. Fading dans mes baffles ou défaillance de son mâle organe ?

— Répète doucement et en articulant, veux-tu ?

Et il :

— Les mémoires de mon zob. *Achtung !* J'ai pas dit ma vie, mais mon vit ! Voyes-tu, Antoine, longtemps j'm'ai posé la question : pourquoi ai-je-t-il une queue pareille ? Un chibraque d'quarante centimèt', quarante-deux si j'tire un peu dessus ? Moi, un simp' mortel ! Qu'ai-je-t-il fait au bon Dieu pou' qui m' dotasse d'une biroute d' cheval ? Il avait bien une idée derrière la tronche, bordel ! On file pas un paf long comm' tout l'avant-bras à un simp' citoilien, fils d'paysan ! Ça cache quéqu'chose, comprends-tu-t-il ? Alors j'mai dit qu'j'y verrerais plus clair en racontant la façon qu'on fait équipe, ma biroute et moi, d'puis not' naissance, les deux.

— Un livre ? n'osé-je espérer.

— Moui, mec : un liv'. Un gros *book* qu'j'dirais

tout d'pus ma prime naissance. V'là biscotte faut qu'je chiadasse mon français ! J'entends donner à l'éditeur un tesquete nickel, irréprochab' du point' d'vue des cinq taxes et du veau qu'a bu l'air. Moi, quand j'live un produit, j'veux pas avoir la moind' critique. Faut qu' je pusse m'présenter à la Cadémie la tête haute, si b'soin s'erait.

— Mes compliments, Béru. Et as-tu songé au titre de cette œuvre considérable ?

— J'y ai trouvé. Un tit' simp', qui percussionne. *Moi et ma bite. Histoires d'amour*, par Alexandre-Benoît Bérurier. Tu m'as souvent chambré dans tes polars de merde av'c mes fredaines. J't'en veuille pas, note bien, mais j'tiens à rectifier l'tir, à donner mon aversion des fêtes. Les aut' font des effets d'stylo en racontant tes aventures. Y s'la donnent chouette à bon compte, s'l'ment t'as l'soin d'intervenir à force de r'placer la vérité dans ses tartines bloqués. Logique, non ?

— Tout à fait. Je suis convaincu que mon éditeur serait intéressé par ton projet.

Là, il prend un air de maquignon mmarchandant un cheval panard.

— Mollo, mec. Faudra qui m'lâchasse un à-vaudre conséquent. J'm'respire pas l'*Larousse* et les verbes des premier, deuxième, troisième et quatrième groupes pour la peau !

— Vous discuterez les questions financières entre vous.

— Dans ces conditions, tu peuves prend' un rendez-vous. J'ai déjà rédactionné deux pages et j'attaque ma troisième.

La survenance inopinée de M. Blanc met fin à cette discussion culturelle.

Il est toujours loqué en balayeur municipal, le Noirpiot. Il sent le mouillé, le froid, la feuille morte ramassée à la pelle. Sa frite est d'un vilain noir moisi et il lui est venu un gros bouton rose contre l'aile du nez. Tu dirais un catadioptre de vélo.

— Tu as largué ta planque ? m'étonné-je, avec déjà de la sévérité sous-jacente.

— Il fallait que je continue de promener des étrons de clébards, une fois au parfum ? bougonne le maussade.

Il tousse.

— J'ai attrapé la crève en tapinant.

— Parce que tu t'es embourgeoisé, mon mignon. Autrefois, quand tu étais réellement balayeur, tu bravais les intempéries, maintenant, tu t'enrhumes, c'est la loi de la vie. Alors, résultat ?

— Dur-dur. C'était chié ! Des heures à ratisser les caniveaux sans retapisser ta gonzesse. A la fin, j'ai usé des grands moyens : j'ai interrogé un facteur en lui montrant la photo de la femme.

— Ça ne l'a pas surpris de la part d'un modeste employé municipal ?

— Plus quand je lui ai eu montré ma carte de flic. Il a parfaitement reconnu la personne. Il s'agit de Sonia Wesmüler, mariée à Albéric Wesmüler, architecte. Le couple habite une villa, rue des Mauves. Nanti du précieux renseignement, je me suis mis à sévir près de leur maison. J'ai vu en sortir le mari et la femme. Elle était en tenue de voyage, lui en tenue de campagne. J'entends par là qu'elle portait un manteau de vison, une toque, des bottes, alors que l'homme avait un blouson. Il coltinait une grosse valise, elle un *vanity-case*. Ils ont sorti leur voiture du garage attenant à la villa et sont partis.

« Je me suis alors payé de culot et j'ai sonné chez

eux. Une soubrette portugaise m'a ouvert. J'ai demandé après les Wesmüler, allégant que, s'ils le souhaitaient, je pouvais balayer les feuilles mortes de leur allée. La domestique m'a dit que ses patrons venaient de partir. Monsieur emmenait Madame prendre l'avion pour Singapour, mais il serait de retour en début d'après-midi et je pourrais repasser. »

Le *all black* se tait, le regard malicieux, ses gants de boxe labiaux entr'écartés sur trente-deux crochets immaculés.

— Travail de première classe, le complimenté-je.

Il hoche la tête.

— Et maintenant, qu'allons-nous faire ? demande mon sombre et irremplaçable collaborateur.

— La femme blonde est partie, mais il nous reste son mari, objecté-je.

On se sourit en tranche d'orange.

Au bas de l'escadrin de pierre qui renifle inexplicablement le cellier et le gros drap, on bute dans notre confrère, l'inestimable commissaire Ducharme, lequel mérite bien son blaze. Il n'est pas très grand, il a le poil précocement grisonnant, l'œil de velours, le sourire enjôleur. Un enjambeur de shampouineuses patenté, de magnitude 8 sur l'échelle de Richter. Il fait également dans la bourgeoise mûre et il n'est pas rare de le rencontrer au bar du *Plaza* ou du *Royal Monceau*, en conversation chuchotée avec une quinqua saboulée haute couture, à la peau du cou retendue. Il séduit à la frissonnante. Faut dire qu'il dispose d'une belle voix grave qui emballe sans problo lorsqu'il ponctue de la prunelle.

Il est en converse animée avec Mathias. Moi,

curieux comme une belette, je leur demande ce qui cloche dans leurs relations professionnelles. Ducharme m'explique qu'il est sur un truc pas blanc-bleu. Un petit voyou a été découvert mort dans sa chambre d'hôtel, entravé à son lit de fer par une paire de poucettes et dûment bâillonné. Il s'est pris un lingue entre les omoplates.

Qu'en entendant cela mon raisin ne fait qu'un tour.

— Tu te rends compte, bougonne Ducharme, Mathias affirme que les menottes sortent de chez nous !

— Et je le prouverai sitôt qu'on aura achevé de relever les empreintes, déclare le Rouquemoute.

Tu imagines, frangine, la remontée d'adrénaline qu'une telle déclaration m'occasionne !

— Il s'appelle comment, ton petit malfrat ?

— Marien Simon. Il a un curriculum qui ferait gerber un rat malade. Il créchait à l'hôtel *Blatte et Confort*, un nid à vermines qui te flanque la gratte. Tu connais ?

Je hausse les épaules :

— Et tu dis qu'il s'est fait planter ?

— Un eustache exotique, genre rallonge orientale, manche d'ivoire incrustré, lame damasquinée : l'œuvre d'art pour souks de luxe !

— Curieux que le planteur ait laissé sa rapière dans le dossard du mec.

— Il n'a pas pu l'en retirer. Il a frappé fort à deux reprises. Le premier coup a perforé le cœur, au second, la lame s'est plantée dans la colonne vertébrale et ça été la croix et la bannière pour l'en arracher ; le meurtrier a dû renoncer.

Là-dessus, mon confrère continue son ascension.

— Règlement de compte, c'est signé, fait-il.

Mathias me dit :

— Vous pouvez me rendre le Nagra de votre mort à vous, mon cher, j'ai trouvé un orientaliste, professeur au Collège de France, qui va être à même de décrypter la cassette.

Moi, marri, tu penses ! J'ose pas lui révéler que je me suis laissé engourdir le magnéto, comme un plouc son poste de radio ! C'est pas ma joie de vivre, soudain. Va falloir que je sollicite l'assistance de l'Incendié et ça me fait pleurer les fesses d'implorer ce dindon prolifique.

J'y vais carrément :

— Pour ce qui est des menottes dont parlait Ducharme, mon cher directeur, te casse pas le cul : elles m'appartiennent. Alors mets la pédale douce : pas d'empreintes dessus et tu n'es pas certain qu'il s'agisse de matériel maison, vu ?

Il bée des vasistas.

— Vous avez poignardé ce type ?

— Hé ! blondinet, ça va pas la tronche ? Tu me prends pour qui ?

Je lui explique que j'avais simplement neutralisé le petit brigand et que je comptais le faire ramasser (en fait je l'ai oublié, mais n'en parle à personne). Il a dû recevoir une visite intempestive après mon départ ; celle de quelqu'un qui ne lui voulait pas que du bien et qui a profité de la superbe occasion pour se le payer !

— Pour l'instant, conclus-je, pas un mot à Ducharme. Je ne tiens pas à ce que l'affaire dont je m'occupe et la sienne interfèrent. Je peux compter sur toi ?

Il murmure sentencieusement :

— Je ne me ferai jamais tout à fait à vos

méthodes, mon cher. Elles sont tellement anarchiques...

Pauvre con ! Et le bourre-pif que je me retiens de lui mettre, il serait anarchique, tu crois ?

— Anarchiques mais efficaces, me contiens-je. Ma fantaisie jointe à ta science constituent une force, Mathias. Quand je rédigerai mes souvenirs, tu y occuperas une place prépondérante, crois-moi.

Tout flatteur, etc.

Faut jamais craindre de leur mouiller la compresse, à tous ces connards vanneurs ! Ils en redemandent sans cesse. La lèche, c'est le lubrifiant des rapports humains. Notre société est régie par la pipe davantage que par les lois.

Une tape cordiale dans le dos.

— Un de ces dimanches, il faudra que vous veniez déjeuner à la maison, risqué-je. Maman vous fera une blanquette de veau. Tu sais qu'outre la crème, elle y met un jus de citron, des câpres et des petits cornichons coupés en fines rondelles ? Je te ferai goûter le beaujolais de mon ami Pivot.

Môssieur le directeur du labo a un léger sourire de con descendant.

— Nous verrons cela au printemps, dit-il, réservé.

Enfoiré, va ! Un gars que j'ai tenu sur les fonts baptismaux de la Poule !

Après que nous l'eussions quitté, Jérémie demande :

— Quand comptes-tu lui mettre une belle avoinée, Antoine ? Je sens que tu en meurs d'envie et ça me ferait tellement plaisir.

— J'attends Noël, réponds-je. Comme je ne sais pas quoi offrir, ce sera mon cadeau.

T'as ceux qui créent la Pyramide du Louvre, l'Arche de la Défense ou l'opéra de la Bastoche.

Et puis t'as les autres.

Ceux qui marnent dans le clapier « Sam'Sufy » ou le petit immeuble de « confort », en banlieue. C'est à la seconde catégorie qu'il appartient, Albéric Wesmüler. Son atelier d'architecte a été aménagé dans une aile de sa villa ; assez judicieusement d'ailleurs, de manière à ce que sa vie professionnelle et sa vie privée se côtoient sans se gêner.

Quand tu te présentes à la grille, un panneau indique que « l'Atelier d'Architecture » est à droite (suivre l'allée).

Nous l'empruntons.

« Sonnez et entrez ».

Je sonne et nous entrons.

Un petit hall d'accueil avec une secrétaire coiffée ébouriffée, dans les tons feuille-morte. Robe verte. Des lunettes retenues par une chaînette pendent entre ses agréables mamelles et une seconde paire chevauche son nez un peu trop bourbonien à mon goût.

Elle est en train de se livrer à l'occupation propre à toutes les secrétaires quand elles ne se font pas les ongles ou ne téléphonent pas à leur petit ami : elle tape à la machine. Et ça fume, je te prie !

Elle termine son paragraphe avant de relever la tête et de nous proposer un sourire un peu défraîchi pour avoir trop longtemps séjourné à l'étalage.

Je lui réclame M. Wesmüler. Elle me répond qu'il est « en chantier » (comme la vérole) mais qu'il ne saurait tarder, ayant un rendez-vous au téléphone des plus important dans un léger quart d'heure.

Gentillette, la vieille fillette carabosse nous propose d'attendre et nous chaussons nos culs de fauteuils en rotin équipés de coussins.

Elle se remet à faire chier le clavier de sa vieille I.B.M. à boule (ma préférée, j'en ai tué une bonne douzaine sous moi) en arrangeant fréquemment les mèches rousses de ses cheveux, en réalité grisonnants, biscotte la présence — et surtout le regard — de deux beaux hommes lui mettent des pincements au cœur et des mouillances dans le slip.

Une pendule électrique épinglée au mur craque ses secondes comme autant de petits pets à chaque saccade de l'aiguille rouge.

Moi, la tête renversée sur le dossier inconfortable, les mains croisées au bas de mon ventre, le regard mi-clos, le cervelet au bain-marie, je me concentre sur cette diablesse d'histoire. Ça se déroule rapido, comme un film d'action bien torché. Les Wesmüler au cinoche de Boulogne. Deux voyous : Fluvio et Marien s'en prennent à eux. Le second estourbit l'époux, le premier embrasse l'épouse et lui pose un ranque. La femme va au rambour, Fluvio se pointe, des motards le trucident, Mme Wesmüler se tire. Dans le coffre de la Golf je déniche un magnéto dont la cassette contient l'enregistrement d'une conversation téléphonique établie où il est question d'une organisation de Singapour nommée « Le Singe Blanc ». Visite chez Fluvio qui héberge une épave de fille camée. Dans ses affaires, je découvre un album contenant des photos consacrées à la fille d'un roi des affaires de Singapour. Je rends visite au gars Marien, le complice (et le fourreur) de Fluvio. Il ne m'apprend pas grand-chose. Ne pouvant l'emballer sur l'instant, je l'enchaîne et quelqu'un le surine dans sa chambre après mon départ. Nuit d'ivresse avec Madeleine. Au matin, je me rends chez Elianor

Dakiten, la vedette partouzeuse qui a connu des nuits orientales pas dégueues avec Fluvio. C'est elle qui me rancarde au sujet de la fille de l'album. Content, je vais à la Maison Pébroque où j'apprends deux nouvelles considérables : Bérurier écrit ses souvenirs et « la femme blonde », Sonia Wesmüler, est partie pour Singapour ! Voilà, résumé en style presque téléphonique, le développement de l'aventure. Nota : Fluvio était armé et son pote également, ce qui donnerait à penser que les activités de ces deux loubards n'étaient pas aussi vénielles que Marien tentait de le faire croire ou alors qu'ils redoutaient un danger.

Pendant ce voyage de l'esprit, la grande aiguille noire de la pendule électrique s'est payé une part de brie et a amputé ma vie d'un quart d'heure.

Blanc, fatigué par sa planque, somnole. Il s'est changé, troquant sa tenue de balayeur contre son prince-de-galles chocolat (un camaïeu !). La secrétaire arrête de flinguer son I.B.M. pour mater l'heure.

Elle croise mon regard, chemin faisant, et soupire :

— Il devrait être là, je crains qu'il ne rate son rendez-vous téléphonique.

Ses yeux sont d'un marron bêta. Sa bouche charnue dénote un tempérament sensuel. Elle me veloute du regard, supputant les dimensions de mon sexe quand celui-ci prend les devants.

— Plus de vingt centimètres, je lui susurre. Disons vingt-trois. Vous savez qu'on peut déjà assurer du bon travail avec ça !

Elle reste coite, sidérée et par ma perspicacité et par mon fieffé culot, se demandant déjà en arrière-plan si de la vantardise ne se serait pas glissée dans mon affirmation.

— Je vous demande pardon ? patauge-t-elle des cordes vocales.

Elle est sauvée de son embarras par la sonnerie du téléphone.

— Et voilà, j'en étais sûre ! ronchonne la bibinoclée en décrochant.

— Sonia ? elle fait. Albéric n'est pas encore de retour, il a dû être retenu sur le chantier.

Tiens, elle appelle les patrons par leurs prénoms. Cette familiarité sous-entend qu'elle jouit d'un statut particulier chez les Wesmüler.

— Vous avez fait bon voyage ? poursuit-elle. Attendez, je regarde s'il vient.

Elle se soulève de sa chaise pour mater par la baie vitrée. Ne voit rien.

— Non. Il peut vous rappeler ?... Ah ! vous sortez ? Alors qu'est-ce qu'on fait ?... Dans huit heures ? Donc, au domicile ? Entendu, je lui dirai.

On raccroche.

— C'était Mme Wesmüler ? demandé-je innocemment.

Dans la foulée, elle répond qu'oui, sans se poser des questions sur ma perspicacité.

— Elle est en voyage ?

— Singapour.

— Tourisme ?

— Son beau-père habite là-bas.

— M. Wesmüler père ?

— Non : le second mari de sa mère. C'est lui qui l'a élevée.

— Elle va souvent le voir ?

— Une fois par an environ.

— Elle y est allée en janvier ?

— Non, pourquoi ?

Au lieu de répondre, je laisse tomber :

— Vous êtes davantage une amie qu'une secrétaire, si je comprends bien ?

— Je suis la cousine de M. Wesmüler. J'ai perdu mon époux il y a deux ans et, comme j'avais besoin de travailler, Albéric m'a prise avec lui.

— Sympa.

Elle opine. A nouveau elle imagine mes vingt-trois centimètres de zob. Je la suppose en manque de chibre, Ninette. Son veuvage commence à lui flanquer le torticolis au clito. Elle s'offrirait bien une partie de bayonnes si je l'y poussais un chouïe. Note qu'il n'y a pas meilleure affure qu'une gerce en rideau de baise. Elle déferle du prose quand elle s'y met ! Mais c'est son pif qui me rebute l'élan. Si je l'emplâtrais, j'aurais la désagréable impression de me faire Louis XVI. J'ai rien contre Louis XVI qui fut un excellent serrurier, mais de là à l'embroquer, y a un monde !

Je profite de l'embellie pour lui tirer les vers du nez, la cousine. M'approche de son burlingue, mains aux poches, dégagé et dominateur.

— Singapour, lâché-je, c'est une beau voyage.

— Ça, j'aimerais être à la place de Sonia, affirme la dame.

— Son mari ne l'accompagne jamais ?

— Rarement. Il n'aime pas beaucoup le beau-père de sa femme.

— Il fait quoi, là-bas, cet homme ?

— Des affaires, je crois. Il est hollandais.

Elle dit comme si c'était une explication, la batavité du bonhomme ; comme si néerlandais était synonyme de négoce.

— Ils sont mariés depuis longtemps, Sonia et Albéric ? risqué-je familièrement ; mais quoi, tout est question d'aplomb dans mon putain de job.

Des strato-cumulus embuent les besicles de la mère tapoti-tapota. Je te parie les œuvres complètes de la contesse de Ségur (Les Chaleurs de Sophie, Après la Pluie le Bottin, Les Mémoires de Canuet, Pauvre Baise, Le Général Durakuir, etc.) contre un godemiché de veuve de guerre 14-18 qu'elle hait sa cousine. Des fulgurances au détour de la pensée, qui sont éloquentes.

— Non, pas très, quatre ou cinq ans, je crois.

— Mme Wesmüler ne travaille pas ?

Là, ma terlocuteuse marque une hésitation.

— Oui et non. Elle s'occupe un peu des affaires que son beau-père traite sur Paris. Disons qu'elle lui sert de correspondante.

— Je vois.

Nouveau grésillement du biniou. La secrétaire-cousine prend l'écouteur.

— Atelier d'Architecture Wesmüler, j'écoute.

Elle écoute !

Et elle entend.

Et ce qu'elle entend la vide de son sang, comme on écrit dans les livres plus chers mais moins intéressants que les miens.

Elle balbutie d'une voix en étouffe-cierge :

— Non ! Oh ! mon Dieu ! Oh ! mon Dieu ! Quelle horreur !

Puis elle répète :

— Oh ! non ! Oh ! non ! Oh ! non !

Elle exhale enfin :

— Je viens.

Raccroche. Me regarde droit aux yeux, ayant oublié complètement ma bite.

— Albéric a eu un accident sur le chantier. Il est mort !

CHASSEURS

Vite fait, bien fait.

T'as pas le temps d'être mort que déjà on t'a foutu un drap ou une bâche sur la gueule. Symbolique. Tu n'es plus ? Alors ton image n'a plus le droit de cité. Sur notre planète tant encombrée, il n'y a un peu de place que pour les vivants, et encore de moins en moins ! On exiguite !

Il a déjà eu droit à son morceau de bâche, l'architecte. Juste ses jambes qui dépassent. On se pointe avec Marinette Laborné, la cousine en larmes et manteau de fourrure râpé (du phoque échappé à la vigilance de la mère Bardot). Elle s'élance vers le corps en simagrées de deuil, poussant des plaintes, dispersant ses pleurs, tirant sur ses tifs.

Quatre pelous entourent la dépouille : un Arbi, deux Portugais, un Français beaujolaisé : le contremaître du chantier. Ce n'est pas celui d'une maison privée, mais de la réfection d'un bâtiment public. Il avait dû faire un vœu car on l'a exhaussé. D'un étage (en maçonnerie on dit « d'un niveau »).

Il y a une bétonnière arrêtée, des sacs de ciment, des tas de gravier, des banches de bois, des échafaudages, des échelles et tout le matériel nécessaire à ce genre d'entreprise.

Deux draupers en uniforme arrivent au volant de Police-Secours. Ils commencent par nous apostropher en aboyant qu'on doit circuler et qu'il y a rien à voir.

— Pas de crises d'épilepsie entre nous, les gars ! fais-je en produisant la belle image du bébé sur carte de police plastifiée.

Ça les rectifie.

« Oh ! pardon ! On s'escuse. On ceci-cela, tout le reste... »

Je leur dis de réciter trois Pater et trois Ave (avé l'accent) en guise de pénitence, et je soulève le coin de la bâche. L'Albéric était bel homme. Séduisant, ça, j'en mettrais sa bitoune au feu, à présent qu'elle ne risque plus grand-chose.

— Il est tombé de l'échafaudage ? proposé-je au contremaître couperosé (d'Anjou).

— Exactement.

— Racontez.

Il murmure :

— Je lui avais dit de mettre un casque, mais il ne m'a pas écouté. Il était énervé parce qu'il trouvait que Mohamed préparait mal le fer à noyer dans le béton. Il s'est élancé sur l'échelle qu'il a grimpée quatre à quatre. En arrivant en haut, il a poussé un cri et il est parti en arrière. Pourtant, je lui tenais l'échelle. Il est tombé à la renverse et ça a fait un sale bruit que je ne suis pas près d'oublier. Il s'est tué raide. Vous pensez : vingt mètres ! Sur la nuque !

— Où se trouvaient vos hommes ?

— Quand l'architecte est arrivé, Mohamed travaillait en haut et les deux Portugais préparaient le béton. Moi, j'étudiais les plans, sachant que

M. Wesmüler allait me poser des colles, comme chaque fois. La première chose qu'il a vu, en descendant de sa bagnole (il désigne une R 25 en bordure du chantier), c'est les ferrures qu'étaient pas aux normes. Il s'est mis à m'engueuler, puis il a crié à Mohamed de descendre. Et alors c'est lui qui a grimpé.

— Tenez-moi l'échelle !

Je gravis les échelons gluants. L'échelle dépasse l'échafaudage. Je l'escalade au max afin d'avoir une vue d'ensemble du chantier. Pour l'instant, le mur en construction surplombe une étendue entièrement bâchée. On a démoli l'ancienne toiture et protégé l'ex-dernier étage pendant qu'on surélevait la construction. En face, se trouve la partie des locaux non concernée par les travaux. Je me penche sur le mur en cours de surélévation. A l'intérieur du bâtiment, nulle échelle, il est donc impossible qu'on ait poussé l'architecte.

Je redescends. Avise Jérémie Blanc à l'équerre, furetant tel un chien de chasse, les ailes de son gros tarbouif palpitant comme les flancs d'un cerf forcé par une meute (1).

— Que cherches-tu ? m'inquiété-je.

Le dos toujours arqué, la face penchée, ses gros yeux globuleux pendant d'elle comme des couilles, il répond par un grognement que je qualifierais extrêmement volontiers d'évasif si je ne redoutais les pléonasmes comme la peste ou la compagnie d'un raseur (2). Mon principe étant « chacun sa merde »,

(1) C'est à des images de cette puissance qu'on mesure le talent de San-Antonio.

Paul Guth (de l'Académie française).

(2) Je tiens à ta disposition la liste des miens que j'ai réunis en une plaquette de soixante-quatre pages.

San-A.

je ne le harcèle point et m'occupe de cousine Marinette, laquelle, agenouillée sur le sol, pleure à chaudes pisses sur la dépouille de l'architecte. Son chagrin est immense. La voilà sans doute seule au monde, sans boulot. Mohamed, l'Arbi triste, contemple le cul dressé de la pleureuse, rêvant de le verger manière de se mettre les glandes à jour. Les deux Portugais sont attristés, croyant à la veuve. Y a pas plus gentils mecs que ces gens-là ! Un peuple d'aimables bosseurs. Des modestes exquis, purifiés par les vents atlantiques, aux sourires gauches, aux regards ardents de bonne volonté, si tu m'autorises (ou si tu motorises) ce charabia. Des écureuils bruns aux regards noisette. Salut à vous, Portugais, qui nous fournissez nos maçons et nos bonniches ; adorables Latins de bas d'Europe, honnêtes et courageux avec simplicité. J'ai de la tendresse pour vous.

La scène est insolite. Je prends du recul, m'abstrais pour la mieux percevoir. Ce cadavre mal recouvert d'une bâche cradoche, ces ouvriers que le drame a stoppés en plein turbin, ces flics perturbés par ma présence, cette femme en pleurs dans son manteau, ce grand Noir fureteur, la bétonnière dont le moteur continue de tourner, le ciel de suie où tanguent des espèces de mouettes venues on ne sait trop d'où. Mais peut-être sont-ce des pigeons ?

Je fais in extremis la connaissance de Wesmüler. Pourquoi n'a-t-il pas réagi au cinoche, l'autre soir, après que Marien lui ait filé une manchette cigogneuse à la nuque ? Tu trouves normal, toi, qu'un honnête architecte accompagné de sa bourgeoise se laisse agresser et ne quitte pas sa place ? Qu'il ne moufte pas et visionne le film comme si de rien n'était ! Et aujourd'hui il est mort. Et son agresseur l'est également. Et le complice de l'agresseur ! Ça décime dans le Landerneau. Système « décimal » ! Même in petto, faut que je calembourde !

— Voilà ! s'exclame Jérémie.

On le regarde. Il tient quelque chose dans le creux de sa dextre.

— Viens voir, chef !

Je m'approche.

— C'est cela que je cherchais, me dit-il en avançant sa paluche à paume claire.

Dedans se trouve un écrou d'environ 4 centimètres de diamètre, rouillé.

— Eh bien quoi ? fais-je.

Quand on est supérieur hiérarchique, on ne devrait jamais poser ce genre d'interrogation. Elles boomeranguent et te reviennent en pleine poire. Te transforment en incapable, en glandu, voire en connard.

— Tu vois, sur l'arête, là, il y a un morceau infime de peau ainsi qu'une goutte de sang.

— Exact.

— Tu as bien regardé la tête de l'architecte ?

— Heu, il me semble.

— Il est tombé à la renverse et s'est fait péter la boîte crânienne dans la région de l'occiput, d'accord ?

— Oui, docteur, entièrement d'accord.

— Or, il porte une entaille à droite du front, tu n'as pas remarqué ?

— Je... oui, peut-être.

M. Blanc pourrait sarcastiquer, chiquer dans la fouaillerie teigneuse, l'ironie blessante. Au lieu de, il déclare :

— Quand il était en haut de l'échelle, quelqu'un

lui a tiré cet écrou dans la gueule avec un lance-pierres, et ça lui a fait perdre l'équilibre.

Il soupèse l'écrou.

— Ce projectile propulsé à toute vitesse, tu parles d'un cadeau quand il t'arrive dans le cigare, mec !

— Faut être adroit ! benouillé-je piétreusement.

— Le gars au lance-pierres est adroit ! confirme l'Africain, placide.

Il prend dans son larfouillet une pochette de plastique et y glisse l'écrou.

— Le Rouillé va nous confirmer ça, assure-t-il.

Et moi, je me dis :

« Donc, il s'agit bien d'un assassinat ! Le troisième en vingt-quatre heures ! Joli score. »

Un harassement me biche. Des gens suppriment d'autres gens, simplement parce qu'ils les gênent ; parce que, à un moment de leur vie, ceux-ci constituent une menace pour leur tranquillité, ou un obstacle pour s'approprier des choses matérielles, voire parfois des personnes convoitées.

L'homme est un loup pour l'homme ? Mes fesses ! Les loups ne nous suppriment pas. L'homme est un homme pour le loup, voilà la vérité ; et plus encore : un homme pour l'homme !

Que s'est-il donc passé de si grave dans la vie des Wesmüler pour que se déclenche un tel patacaisse dans leur zone d'existence ?

On tue les ennemis de madame et on tue son mari !

Je vais à Marinette Laborné. L'Arbi a décrit un arc-de-cercle afin de se placer face à elle car elle se tient accroupie à présent et on voit son entrejambe. Mais voir quoi ? Un collant et la blancheur d'un slip par-dessous ! Des cuisses dodues de femme qui navigue à force de voiles dans les parages de la cinquantaine !

— Venez, petite !

Petite ! Où va se loger la compassion !

Je l'aide à se relever. Le rideau tombe sur les rêves de Mohamed ; il en est pour son goumi chauffé à blanc, le Maghrébin. Va falloir se terminer à la mano, mon pauvre pote ! Ou bien fourrer Aziz, ton copain de chambre. Peut-être calcer une radasse de la Goutte-d'Or, mais n'oublie pas ton pébroque à cauda (je latinise) because le Sidoche vole de plus en plus bas !

Je la biche par le bras, Marinette. Elle est toute dolente, abîmée.

Je souffle à l'un des gardiens de la paix :

— Institut médico-légal, ce type a été assassiné.

Et puis on regagne notre tire.

Elle s'y installe, côté passager. M. Blanc passe derrière. En démarrant, je murmure :

— Marinette, il va falloir vous montrer forte car nous avons besoin de vous.

— Je sais : vous êtes de la police ?

— *Yes,* ma poule. Primo, pas un mot à Sonia pour l'instant. Elle doit ignorer le drame.

— Mais les funérailles ?

— On conservera le corps quelque temps à la morgue. Secundo, j'aimerais savoir ce qui s'est passé dans la vie de vos cousins, du moins dans celle de Sonia, le 28 janvier dernier.

Elle s'extirpe des chagrins pour s'étonner :

— Le 28 janvier ? Mais il se serait passé quoi ?

— C'est moi qui vous pose la question, ma chérie. Le 28 janvier, il s'est produit quelque chose que Sonia Wesmüler a vécu ; quelque chose d'important ; quelque chose qui pourrait nuire à sa tranquillité, et même davantage.

Elle hoche sa tête frisottée.

— Allons voir l'agenda d'Albéric au bureau.

Elle a conservé son manteau qui gonfle sa silhouette. L'a l'air d'une pute pauvre sur le retour, Marinette. Sa frite bouffie par les larmes ne ressemble vraiment plus à grand-chose. Elle renifle mais, franchement, elle aurait intérêt à se moucher carrément, because les fâcheux stalactites qui s'abandonnent de plus en plus. Une large goutte s'écrase sur la page de l'agenda ouvert à janvier. T'as une semaine sur deux pages et c'est couvert de brèves notations, soit à l'encre, soit au crayon. Le 28 janvier tombait un samedi. L'index dont le vernis rose-dentier s'écaille descend les heures. A partir de douze heures, c'est blanc, juste un nom est écrit en travers de l'après-midi : Saint-Troudhu.

— Ils étaient à la chasse en Solgone pour le week-end, déclare Marinette.

Et puis elle pousse un cri.

— Ça y est, je me souviens : l'un de leurs invités s'est tué en préparant son fusil pour le lendemain matin. A l'*Auberge des Chasseurs* de Saint-Troudhu ! Du coup la partie de chasse a été annulée.

— Comment s'appelait cet invité ?

— Ah ! ça, je crois que je ne l'ai jamais su. C'était un type de Singapour, un Asiatique client du beau-père.

La chère âme !

Son chagrin n'aurait pas transformé son maquillage en infâme bouillasse, il est probable que je l'embrasserais.

Mme Bertrand, la patronne de l'*Auberge des Chasseurs* (la maison a changé de raison sociale : jadis, elle s'appelait *Le Relais des Chasseurs,* mais à la mort des parents Bertrand, le mari de Gontrine Bertrand, un Italien naturalisé tant bien que mal français, a tenu à modifier l'enseigne, histoire d'établir son autorité ; comme quoi on trouve des cons même chez les Ritals !), est une personne fondante, trop blonde pour être en harmonie avec les poils de sa chatte, vêtue comme pour un dîner à la sous-préfecture, et qui s'y croit en plein. L'air condescendant, parlant d'elle à la troisième personne, se parfumant à seau pour camoufler les fragrances d'ail (un cuistot italoche, tu penses !), jouant même d'un face-à-main trouvé au grenier pour vérifier les papiers de ses clients ; bref : *The classe !*

Ma qualité de commissaire lui arrache une moue dubitative. Ici, on n'a rien à se reprocher, tant au plan fiscal, règlements de police, que culinaire. Quant à l'hygiène, « on pourrait manger par terre ». De la plus humble marmite jusqu'au cul de la patronne, tout est *clean,* fourbi, rutilant, impec, propre à la consommation.

— Je viens à propos de ce qui s'est passé ici le 28 janvier dernier, révélé-je-t-il.

Elle rembrunit. Fâcheux souvenir ! La mort et l'hostellerie ne font pas bon ménage. Rien qui emmerde plus un gargotier que le décès chez lui d'un de ses clients. Ça fait désordre, ça fait malpropre, ça jette un froid, le discrédit.

— Je ne vois pas ce qu'on pourrait dire encore de ce fâcheux accident, ergote la garguergotière.

— Montrez-moi votre livre des entrées, je vous prie !

En rechignant, elle cueille un registre n'ayant rien

de commun avec la dégueulasserie débrifée de l'hôtel *Blatte et Confort.*

Je me reporte au 28 janvier et inscris sur mon calepin les quelques noms qui y figurent. L'*Auberge des Chasseurs* a davantage une vocation de restaurant que d'hôtel ; on y assure plus le couvert que le gîte, et elle doit comporter à tout casser une dizaine de piaules.

Le blaze de M. N'Guyen retient mon attention puisque c'est celui du défunt. Comme adresse, il est mentionné : « 609 Mayer Road, Singapour ». Outre ce personnage d'origine viêtnamienne, se trouvaient à l'hôtel les Wesmüler, les Témiche-Monzaube (des amis du couple, m'apprend Mme Bertrand, les Témiche-Monzaube, des transports en commun !). Viennent ensuite un certain Gaston Persiflard, puis un dénommé Michel Cramouillet. L'hôtesse m'apprend que Gaston Persiflard est un vieil habitué qui possède une chasse dans la contrée. Quant à ce Michel Cramouillet, c'est un garçon jeune qui était descendu aux *Chasseurs* avec une fille n'ayant pas très bon genre. Il a dîné avec quatre ou cinq amis de leur âge qui étaient venus les rejoindre. Après un repas bien arrosé, ils sont tous allés prendre du champagne dans la chambre de Cramouillet et ils commençaient une bacchanale à laquelle Mme Bertrand s'apprêtait à mettre un terme (ici, nous sommes une maison sérieuse !) lorsqu'un coup de feu a déchiré tu sais quoi ? La nuit ! C'est comme ça qu'on dit : un coup de feu déchire la nuit, voire le silence, mais ce soir-là, y avait pas de silence, à cause de ces jeunes fêtards !

On s'était précipité, tout le monde, dans l'hôtel : clients et personnel, plus les tauliers, nature ! Le « Chinois », c'est ainsi que l'appelle la dame Bertrand Gontrine, avait le cigare disjointé. Ce nœud préparait son matériel lièvricide et le coup était parti sans laisser d'adresse, lui faisant exploser la physionomie.

Vous parlez d'un tintouin ! Les gendarmes, l'enquête, les journalistes du cru : *Le Courrier Solognot, La Voix de la Sologne.* A l'auberge, ils avaient eu leur véquende saccagé par la malencontruosité de cet Asiate. Un fusil absolument neuf, acheté la veille chez Gastine-Renette. Un « John and Hollyday » de London ! La crème des flingues ! Le prince Philippe, ses grands glandeurs de fils, le duc de Monfrock, sont équipés de « John and Hollyday » pour leurs parties de chasse à la grouse ! L'autre pomme jaune qui veut faire du zèle : fourbir son flingue neuf, je te vous demande un pneu ! Et vrraoum ! En plein dans le plat d'offrande ! Qu'il a fallu remplacer la cretonne garnissant les murs, monsieur le commissaire !

— Quelle heure était-il ?

— Plus de minuit. On avait fermé le restaurant et je faisais mes comptes pendant que Giovani, mon époux, remettait sa cuisine en place.

— Qui s'est trouvé sur les lieux ?

— TOUT LE MONDE ! vous dis-je. On a tout de suite compris que ça venait de chez le Chinois car il y avait de la fumée devant sa porte et ça empestait la poudre.

— J'aimerais voir les lieux et me faire préciser la position des différents clients dans leurs chambres.

Elle égoutte de la fendasse, mémère. Qu'est-ce que je viens lui piétiner les rillettes avec une affaire archiclassée, bordel ! On n'est donc jamais tranquille avec les roussins.

— Vos collègues de la gendarmerie ont conclu

immédiatement à l'accident, fait-elle ; c'était si évident !

— Je n'aime pas trop les évidences, riposté-je ; elles nous font trop de mal, madame Bertrand. Montons !

Je procède à ma petite inspection. La châtelaine de l'auberge piaffe, biscotte elle va devoir surveiller la mise en place de la réception devant avoir lieu cet aprème à l'occasion du mariage d'Alexis Mormelé, le fils du maire.

Moi qui m'en torche, je visualise avec âpreté. Enregistrant tout. Travaillant de la coiffe qu'Einstein, à côté de moi, était analphabète et méchant, si tu vois l'ampleur ?

Je vais de pièce en pièce, au grand dam des occupants de la 8 : un P.-D.G. septuaextrêmementgénaire qui se fait fertiliser les zones érogènes par sa secrétaire. Ayant fait mon plein d'images et de constatations (également de contestations), je dévale.

La daronne se croit enfin quitte, mais c'est compter sans mon obstination :

— Pourrais-je avoir une petite collation, chère madame ? Je n'ai pas eu le temps de déjeuner.

Tu sais ce qu'elle me répond, la gueuse ?

— Mme Bertrand est embarrassée, car sa salle est prise pour la réception.

— Dites à Mme Bertrand qu'une assiette froide et une demi-bouteille de chinon prises au bistrot me satisferont pleinement.

Elle fait contre mauvaise fortune ce que tu ferais également, et je prends place à une table de bois ciré, sous une reproduction représentant un faisan mort accroché par les patounes. Une serveuse ayant dépassé sans prévenir l'âge de la retraite, m'apporte un pâté de grive, du museau vinaigrette et des pommes à l'huile, ce dont je lui sais gré d'un sourire qui lui détrempe tout l'hémisphère austral.

En clapant énergiquement, je continue mon opération gamberge. Des choses filandreuses prennent consistance sous mon chapiteau. Voilà que je tire de ma fouille le carnet d'adresses de feu Fluvio. Dans ses relations, outre ses docteurs, sa maman et Marien, se trouve un certain Michel C. Et alors, écoute bien : pourquoi ce Michel C. ne serait-il pas le Michel Cramouillet qui se trouvait en l'*Auberge des Chasseurs* avec sa poule et une bande de copains ?

Putain, plus j'y réfléchis, plus ça me semble costaud comme raisonnement. Réfléchis : Fluvio a menacé Sonia Wesmüler de révéler la vérité sur la soirée du 28 janvier. Il est clair maintenant qu'il faisait allusion à la mort de l'Asiate. Comment aurait-il eu des précisions sur ce drame alors qu'il se trouvait à Singapour ? *Parce que quelqu'un l'en a informé. Quelqu'un qui se trouvait sur les lieux.* Quelqu'un qui a découvert du louche et l'a gardé pour lui, soucieux de ne pas attirer l'attention des pandores sur sa personne parce qu'il doit avoir un pedigree pas présentable. On me suit ? On peut, avec ses petites méninges racornies, banco !

Alors moi, l'histoire, je la reconstitue à ma façon et te la livre toute chaude. Le Chinois occupe la piaule 6. Michel Cramouillet et ses guignolets sont à la 4. Wesmüler et sa blonde à la 8. Vu ? Les trois pièces donnent sur un balcon commun, façon chalet, qui longe toute la façade du premier. J'imagine que Sonia rend visite au client du beau-père. Leurs discussions foirent. Elle lui tire un coup de fusil dans les paupières, puis rentre chez elle par le balcon.

Seulement, le gars Michel est en train de prendre une goulée d'air frais ou bien de fermer les volets de sa porte-fenêtre et il aperçoit la fuyarde. Il ne dit rien parce qu'il préfère que les flics l'oublient. Seulement, IL SAIT. Quelques jours plus tard, Fluvio rentre d'Asie ; c'est son pote : un dégourdi, un malin sans scrupules. Il lui confie son secret.

Fluvio pige qu'il y a du blé à tirer de cette aventure. Il conseille à son copain Michel d'attendre. Quoi ? Peut-être d'en savoir long comme la liste de mariage de la princesse Anne, qui avait été déposée (pas la princesse, sa liste) chez Harrod's, sur cette très étrange dame Wesmüler.

Je me sers un grand godet de chinon, et j'y trempe mon dentier, plus toutes mes papilles gustatives.

— A ta santé, San-Antonio !

ACHILLE

— Entrez !

Tiens, voilà un mot impressionnant, si tu y songes ! « Entrez ! ».

Tu entres, bien sûr, puisqu'on te donne le feu vert. Et que trouves-tu ? L'élément le plus redoutable qui soit au monde : *quelqu'un !* C'est-à-dire le danger possible. Deux yeux (sauf si tu es reçu par Le Pen) qui t'accueillent, te scrutent, te sondent, te déterminent, te classent, t'acceptent ou te refusent, te relèguent, t'accablent, te neutralisent.

— Entrez !

Je pousse la porte capitonnée.

Que trouvé-je ? Achille à son bureau, les coudes écartés, la tête pendante, offerte à la lumière de sa lampe de bureau, et qui scintille comme la boule à facettes des tangos dans un bal populaire. Il est seul. Il est pâle. Il a les yeux rougis. Un immense accablement le fait fléchir. On le sent vaincu ou malade. Seuls, les hommes venant d'apprendre qu'ils ont le cancer ou bien qu'ils sont ruinés ou encore cocus ont sur le visage cette désemparance proche de l'abdication totale.

Un seau de pitié froide m'est projeté à la frite. J'ai l'élan, le cri commiséreux :

— Patron !

Je relourde pour qu'il se confie. M'avance, afin que mes ondes chaleureuses enveloppent sa froide détresse.

Il me regarde comme si j'étais la fumée d'un échappement ou d'un bol de café au lait, voyant à mon travers mais sans s'arrêter à ma personne.

Je le gagne comme l'esquif gagne la haute mer pour secourir un naufragé. Remurmure, en y mettant un max :

— Patron ! Oh ! patron...

Il articule péniblement :

— San-Antonio.

Ça y est, je suis au naufragé. J'avance la main jusqu'à son épaule. Il sent bon pour un homme qui se noie. J'identifie « New York » de Patricia de Nicolaï.

Achille me dit, les yeux toujours égarés à travers les impondérables :

— Dites-moi quelque chose, Antoine. N'importe quoi. De drôle de préférence.

Et moi :

— C'est l'histoire d'une femme qui tombe du vingtième étage d'un building.

— Ah ! bon ?

— Elle hurle. Quand elle parvient au niveau du seizième, deux bras d'homme jaillissent d'une fenêtre et la saisissent. Une voix lui demande : « Tu baises ? » ; la malheureuse répond que non ; alors l'homme la relâche !

— Quelle horreur !

— Elle poursuit sa chute. Lorsqu'elle atteint le treizième, deux autres bras la happent.

— On ne happe pas avec les bras ! objecte le Vioque.

— Dans mon histoire, si. Ce second sauveur demande : « Tu suces ? ». La femme répond que non, et le deuxième type la relâche.

— C'est horrible !

— A la hauteur du huitième, un troisième mec se saisit d'elle. Alors, la pauvrette s'écrie : « Je baise et je suce ! ». « Salope ! » jette le troisième bonhomme en la lâchant.

— Et alors ?

— C'est tout.

— Pas drôle.

— Edifiant. Cette histoire prouve combien les vérités diffèrent. Ce qui peut motiver le salut peut également provoquer la perte, selon le tempérament de chacun.

— Vous me faites chier, San-Antonio, dit-il avec lassitude et conviction.

Et il ajoute pour atténuer :

— Tout me fait chier.

— Un malheur ?

— Non, San-Antonio, un bonheur mais qui me fait souffrir de façon intolérable.

— Puis-je espérer une confidence, monsieur le directeur ?

— Pas de secrets pour vous, garçon. Ma dernière Mlle Zouzou m'a largué comme une malpropre.

— En quoi est-ce un bonheur ?

— Elle ravageait mon compte en banque. C'était Attila, San-Antonio. Une effeuilleuse de chéquiers ! Une salope ! Elle est partie en emportant mon Fragonard.

— Vous allez porter plainte ?

— De quoi aurais-je l'air ? Le grand patron de la

police parisienne qui se laisse détrousser par une pétasse, vous entendez d'ici les sarcasmes. Tant pis pour ce chef-d'œuvre, j'en ferai peindre un autre ; mais quelle gueuse abjecte !

— C'est pour le Fragonard que vous êtes à ce point désespéré ?

— Non, mon fils, c'est parce que la pute borgne me comblait de jouissances infinies. Je lui dois les pieds géants de mon âge mûr. Mes éjaculations se raréfaient, pour ne pas dire « tarissaient ». Elle, elle m'avait redonné vigueur et appétit sexuel.

— Vous la sublimez, patron, car je ne vous ai jamais vu dételer.

— Dételer, non. Mais les performances n'étaient plus aux rendez-vous. On me pompait, certes, mais comme on tente de regonfler un ballon crevé. Je jouissais au passé composé. Par contumace, si je puis dire. La dernière Zouzou possédait un philtre, un pouvoir sexuel. Grâce à ses entreprises, mes bandaisons n'étaient pas feintes et j'intromettais sans chausse-pied. Je parvenais même à me risquer à des levrettes, vous rendez-vous compte ? Des levrettes !

— Effectivement, monsieur le directeur !

— Et des levrettes triomphales. Vous savez : une main sur la croupe, l'autre brindant à la foule comme le toréador vaniteux ? Ah ! Antoine, Antoine, quelle régalade ! Et puis elle savait tout de l'amour, en pratiquait toutes les figures, toutes les combinaisons, toutes les hypothèses ! Une surdouée qui ne rechignait sur rien. Elle forniquait courageusement ! Son poilu était digne de ceux de Verdun ! Pour elle, la répulsion connaît pas ! Elle vous léchait les couilles, le trou du cul, les doigts de pied. Avec minutie, Antoine ! Et même, oui, j'ose le dire : avec appétit ! Vous me recevez bien ? Appétit ! Et pourtant, Antoine, mon trou du cul, entre nous soit dit, est un vieux trou du cul. Il manque de charme, je ne me fais pas d'illusion. Je ne l'ai jamais vu, mais je m'en doute bien : j'ai les pieds sur terre. C'est pas un trou du cul de minet, ni même d'homme adulte. Un trou du cul de superman, genre Stallone, on peut le prendre pour un sorbet fraise. Mais un trou du cul sexagénaire, hein ? Vous lécheriez le trou du cul de Mme Thatcher, vous ? Tenez, même le trou du cul d'Elizabeth II vous ferait renâcler. On parie ?

Des larmes authentiques tracent un double sillon (j'ai lu ça dans un beau livre d'académicien) sur son visage émacié (ça aussi : « émacié », je l'ai lu dans un vrai roman).

— Remettez-vous, patron. Oubliez que vous êtes un homme pour vous souvenir que vous êtes avant tout un chef, tricolorisé-je.

Là, il galvanise, ligne-bleue-des-Vosges, saint-cyrienne du menton. Tu croirais le président à une conférence de presse, quand un enfoiré lui pose une question pernicieuse et que son regard coagule.

— Un chef ! reprend-il. Oui, San-Antonio, c'est exact : je suis avant tout un chef. Mais un chef a bien le droit de se faire lécher le trou du cul, s'il aime ça ? Et de se laisser tirlipoter les testicules, Antoine, bordel ! Et de se faire mettre un index ou un médius dans le rectum pendant qu'on le pipe, ou je me trompe ?

— Oui, chef, un chef a droit à l'amour, comme le guerrier a droit au repos. Seulement, avant de s'abandonner aux félicités triviales, il doit accomplir sa mission qui est de décider. Je viens vous raconter une très surprenante affaire. Une affaire mystérieuse, dans le style que vous aimez, vous, esprit aussi délicat que singulier, lui mouillé-je la compresse-t-il.

Il prend sa pochette pour essuyer ses larmes et alarmes ; mais pour cet essorage, le coton est préférable à la soie. Les choses d'apparat ne sont jamais confortables, c'est pourquoi les pauvres se trouvent mieux dans leur peau que les nantis.

— Je vous écoute, San-Antonio.

Et boum ! Servez chaud !

Je lui tire mon histoire à la pression. Dans l'ordre chronologique, bien comme il faut, propre en ordre. Fastoche à suivre. Aisé, goulayant. Du récit que tu pourrais mettre sous presse tel quel après avoir corrigé les fautes de syntaxe, du moins ce que mon correcteur prend pour telles.

Il suit, captivé. *Ciao,* Mlle Zouzou dernière édition ! Son cul s'estompe, sa langue devient improbable. Ses performances dérapent dans les brumes du passé.

Je lui relate donc, point par point, les surprenantes péripéties de cette aventure périphérique. Des couleurs le réemparent. Ses yeux se déflouent. Il passe sa dextre sur sa calvitie, ce qui chez lui est bon signe et, aussi, il tire sur ses manchettes amidonnées.

Lorsque je me tais, il demande :

— Vous avez interrogé l'ami de ce Fluvio, le dénommé Michel Cramouillet ?

— Impossible : il est parti ce matin pour une destination inconnue, m'a dit sa logeuse. Je suppose qu'en apprenant la mort brutale de Fluvio, puis celle de Marien, il a pris peur et essaie de se mettre à l'abri du tueur. Jérémie Blanc, dont vous connaissez les mérites, s'est lancé à sa recherche.

— Et vous, que comptez-vous faire ?

— Devinez, monsieur le directeur.

Ô Seigneur, merci : voilà qu'il sourit enfin. « Le soleil après l'orage », comme l'a joliment écrit Robbe-Grillet dans sa biographie de Pinochet.

Tu sais ce qu'il déclare, ce bon bandit de Chilou ?

— L'envie vous démange d'aller faire un tour à Singapour, Antoine ! Juste ?

— Comment avez-vous deviné, patron ?

— Je vous connais comme un homme qui vous a fait, mon garçon ! Et puis quand vous avez dit à la cousine des Wesmüler de ne pas prévenir la veuve, j'ai tout de suite percé votre dessein.

Le madré ! Le marle !

— Qu'en pensez-vous ? fais-je, presque peureusement.

— C'est une excellente, une royale idée, mon petit. Nous devons partir le plus tôt possible.

J'éberlue :

— Vous avez dit « nous » ?

— J'ai dit « nous ». Je vais vous accompagner, ça me changera les idées. C'est la providence qui vous a envoyé. A nous trois, Singapour !

DEUXIÈME PARTIE

CHIANG LI

DODO

Il finit par me souffler dans les bronches, Achille, avec sa morue volage. Faut croire qu'elle lui a déclenché des sensations rarissimes, Mlle Zouzou énième du surnom !

Pendant le vol, alors que je flotte dans un sommeil indécis, il me secoue le genou, l'apôtre, pour me relater des débordements pas encore mentionnés. La manière qu'il glissait sa membrane folâtre sous l'aisselle de la salope pendant qu'elle faisait la bielle de loco avec son bras. Et d'autres trucs pernicieux encore : la décalcomanie frivole, l'antenne d'émetteur radio dans le cyclone ; bien d'autres rares combines pas encore homologuées au répertoire de la partie de miches. Qu'à la fin, épuisé par ses souvenirs libidineux narrés sur le ton pleurnichard du cornard inconsolable, je le rebranche sur l'affaire Fluvio.

— Faisons le point du « matériel » dont nous disposons à propos de Singapour, dis-je.

— Vous avez le *Guide Bleu ?* se fourvoie Pépère.

— Non, mais le petit *Berlitz,* dont j'ai fait l'emplette à l'aéroport. Ce n'est pas à ce matériel-là que je faisais allusion. Je possède, grâce à la cousine de

Wesmüler, l'adresse du beau-père de Sonia et aussi, grâce à la scripte du film que tourna Fluvio là-bas, celle de l'hôtel du voyou. Je me suis procuré également les coordonnées du sieur Kong Kôm Lamoon, le roi du *big* bazar. De plus, grâce à un ami appartenant à l'Intelligence Service, je peux contacter un agent britannique qui est le correspondant permanent à Singapour de cette vénérable institution.

— Excellent travail de préparation, applaudit le Vieux. Comme je le répète à mes bougres : « une barbe bien savonnée est plus qu'à moitié rasée ! »

Cette citation est de moi, mais ma générosité naturelle m'incite à laisser le paon se parer des plumes du coq !

— Et à propos de l'enquête en France, quoi de nouveau ?

— Jérémie Blanc est sur une piste à propos de Michel Cramouillet.

— Il va vite en besogne pour un nègre.

— Il est plus policier que noir, déconné-je, certain que la formule agréera au Vénérable.

De fait, le croûton opine.

— Dites-moi, Antoine, savez-vous si l'on trouve à Singapour des instituts de massages spéciaux ?

— C'est très probable. Sinon vous pourrez faire une extension jusqu'à Bangkok pendant que j'enquêterai.

Ça lui échauffe les lobes.

— Pendant que VOUS enquêterez, Sant-Antonio ! Ah ! ça, vous vous imaginez que je vais à Singapour me tourner les pouces ? Prendre du feu en vous regardant fonctionner, moi qui vous ai inventé de fond en comble, formé de toutes pièces ?

— Je voulais dire, patron, qu'il vous serait loisible

d'effectuer un aller-retour à Bangkok pendant que j'exécuterai vos directives, pourléché-je précipitamment.

— Ah ! bon, pardonnez mon humeur, je n'avais pas compris.

— Cela dit, enchaîné-je, il est probable que vous trouverez des masseuses spécialisées sur place. Je m'informerai auprès du concierge sitôt arrivé.

Je ris et change de propos :

— Savez-vous que j'ai essuyé une scène de Bérurier, lequel tenait à être du voyage afin de connaître, lui aussi, ces fameux instituts ?

— Ce grotesque ! Vous imaginez son sexe de baudet dans les mains de ces graciles créatures de rêve ?

— Entre les mains, la chose est concevable à la rigueur, c'est entre les fesses que le doute me prend, commencé-je. Ces personnes d'Asie sont habituées à des pénis peu conséquents. Cette chose est si vraie que les fabriquants de préservatifs produisent des séries dites « garçonnet » pour les besoins orientaux ! Je n'ose imaginer les dégâts que pourrait causer le membre forcené de Béru, monsieur le directeur. Il a déjà disloqué nombre de chattes françaises. Celles des dames asiates ressemblent aux étuis des épées académiques, et vouloir y engager une chopine d'un tel calibre ferait de ces malheureuses des kamikasées du sexe. L'héroïsme du cul ne va pas jusque-là !

Ayant dit, je me sens saisi de presque épouvante. Suis-je la proie d'un mirage ? Halluciné-je ? Toujours est-il qu'un type énorme vient de dépasser nos sièges et remonte vers l'avant de l'appareil en égrenant un chapelet de louises.

— Béru ! sourdiné-je !

L'individu pète mais entend.

Se retourne.

Et c'est Béru !

— Monsieur le directeur, balbutié-je, voyez-vous ce que je vois ?

— J'allais vous poser la question, marmonne Achille.

La tête d'hilare se rapproche.

— Salut, vous deux, fait-elle avec une familiarité qui, pour s'exprimer à onze mille deux cents mètres d'altitude, n'en est pas moins déplacée. Ça boume ? Comment avez-vous-t-il trouvé l'saumon ? Il m'a semblé qu'il avait un goût d'cramouille négligée ; j'ai dû claper la part à Pinaud qu'est si délicat question fraîcheur.

— Pinaud ! Toi ! Dans ce zinc ! Mais comment ? Mais pourquoi ? débité-je en ordre dispersé.

— Nous attendons vos explications ! ajoute sévèrement le chevelu-à-l'envers.

— Vacances ! laconise l'Enorme ; j'ai droit à dix jours et Pinuche est en congé d'longue maladie rapport à son emphysème pneumonaire qui l'chicane toujours à l'automne. Y m'a offri un voiliage à Singeapoux, comme quoi ça n'y disait rien d'y aller seulâbre.

Sa Majesté balance un pet d'urgence, un pet de dernière semonce qui manque déstabiliser l'avion.

— Faut qu'j'allasse, escuse ! dit-elle, qu'sinon on court à la cata, biscotte comme on n'part qu'pour quéqu'jours, j'ai pas pris d'slip d'rechange. J'sus certain qu'c'saumon déconnait ; j'aurais bouffé un' chaglatte d'vieille bohémienne qu'elle eusse eu meilleur goût.

Et il fonce vers les chiches en dégoupillant préalablement son pantalon.

— San-Antonio, déclare Achille, glacial, arrangez-vous comme vous voudrez, mais je ne veux pas avoir ces deux tarés dans les jambes !

— Je ferai le nécessaire, monsieur le directeur.

— Qu'aviez-vous besoin de dire à ce poussah que nous partions pour Singapour !

— Ce n'était pas un secret, monsieur le directeur.

— Depuis que Pinaud a fait fortune, nous pouvons tout craindre, ronchonne-t-il. Entre les mains des médiocres, l'argent devient une arme redoutable alors qu'il est un outil dans celles des riches.

Une divine hôtesse, galbée à souhait, tortilleuse comme j'aime, fardée délicatement et parfumée dans les tons sobres nous drive (V.I.P. que nous sommes) jusqu'au tourniquet des bagages. Pendant que nous attendons nos valdingues, le couple fameux et fumeux Béru-Pinuche passe, se dirigcant vers la sortie. Pinaud porte un *command-case* tout cuir, boucles et ferrures haute sellerie (rave) ; Bérurier, un sac de supermarché en plastique véritable. Les deux s'arrêtent à notre hauteur.

Pinaud salue le boss d'un : « Mes respects, monsieur le directeur » très vieille France badernique. Malgré cela, Chilou n'y répond pas.

— Faut qu'on va vous aider ? s'informe Béru.

Là, Achille décharge sa bile.

— La seule aide que vous pouvez nous accorder consiste à disparaître ! aboie-t-il.

Le tandem rembrunit et s'éloigne. J'ai le cœur serré.

Taxi, drivé par un petit juif de je ne sais où. Il nous raconte la ville sans qu'on lui demande rien. Nous explique que l'immense et large avenue qu'il suit peut être aménagée en piste d'aéroport en cas de besoin. Il suffit de déblayer les bacs de ciment fleuris qui la divisent en son milieu pour séparer les voies montantes des voies descendantes, et alors tu obtiens une piste où même les gros porteurs peuvent atterrir et décoller.

C'est le matin. Une espèce de New York neuf se dresse devant nous, dans une vapeur rose.

A l'hôtel *Dragon*, on nous a réservé deux chambres communicantes ; chacune est vaste comme le salon d'apparat de l'Elysée et beaucoup mieux meublée.

— Quel plan d'attaque proposez-vous, patron ? sollicité-je.

Il est catégorique :

— Pour commencer, nous devons prendre un bain, puis faire un somme réparateur afin de compenser le décalage horaire.

Ainsi parla le général Weygand lorsqu'on le rappela du Moyen-Orient en 40 pour venir au chevet de la France mourante. Les hommes de guerre français dorment avant d'agir, or comme l'ennemi agit avant de dormir...

Achille justifie sa décision :

— On ne fait rien de bon lorsqu'on est fatigué, mon cher, n'oubliez jamais ce précepte. Je vous ferai signe quand je me réveillerai.

Et il passe dans ses appartements.

Tu sais quoi, ton Sana ? Un coup d'eau de toilette sur le museau, une bonne repeignade. Qu'ensuite je change de limouille.

Et en route, matelot, pour de nouvelles aventures !

RENCONTRES

Prince Larwhist, c'est pas le mec à garder ses deux burnes dans le même slip. On voit qu'il vit loin de la Grande Albion car il a contracté des manières qui n'ont pas cours sur les rives de la Tamise. Après une heure de recherche, je le déniche au bar du *Memorial Hotel*, dans une stalle retirée, assis entre deux gonzesses occupé à caresser simultanément les seins de l'une et les fesses de l'autre.

C'est un type d'une cinquantaine d'années, aux cheveux bruns et rares, au visage soufflé et patiné par le whisky, au regard apparemment morne mais dans lequel brillent d'étranges lueurs quand on l'observe attentivement. Il est vêtu d'une veste de tweed clair, d'une chemise beigeasse agrémentée d'une cravate de cuir râpé, et d'un pantalon de velours côteleux. Il doit se raser une fois par semaine, mais ça n'était ni hier ni même avant-hier.

Les deux pouffiasses sont asiatiques, du genre assez trivial. Le barman me l'ayant indiqué, je vais jusqu'à la table du trio et aborde carrément le Britannoche.

— Navré de vous importuner, Mister Larwhist ; je suis un ami de J.-H. Morrisson, lequel m'a conseillé de m'adresser à vous. Mon nom est San-Antonio ; j'appartiens à une maison parisienne un peu semblable à la vôtre.

Il m'envisage d'un air lointain, ni hostile ni affable.

— Très honoré, laisse-t-il tomber.

Il lâche le nichon gauche d'une fille et me tend sa main toute tiède du précédent contact. J'ai du pot. Il aurait pu me présenter l'autre et me transmettre une chiée de virus, bacilles et autres joyeusetés, vu l'endroit où elle séjournait. On se presse fugacement les salsifis. Du menton, il me désigne le siège placé devant lui.

— Vous prenez un verre ?

— Volontiers : *Bloody mary*.

— Avec davantage de *mary* que de *blood ?*

— Vous avez tout compris !

Il passe ma commande au loufiat qui m'a suivi, lui enjoint de renouveler son Chivas sec et d'un grognement, intime à ses compagnes de nous laisser. Elles obéissent sans rechignades.

— J'ai besoin d'être initié à la vie secrète de Singapour, Mister Larwhist, préambulé-je. Rassurez-vous, je ne demande pas un documentaire, ni même un exposé, simplement j'aurais trois questions à vous poser.

— Allez-y !

— J'aimerais savoir ce qu'est le « Singe Blanc ».

Prince saisit son verre vide, le déplace sur la table comme il le ferait d'une pièce d'échecs et soupire :

— C'est carrément la question à mille dollars ! Je suppose que vous vous doutez qu'il s'agit d'une organisation secrète ?

— Tout à fait.

— Une espèce de mafia d'ici ; tout comme la Maf,

c'est très hermétique et très dangereux. Le W.M. comme on l'appelle (1) fait plus de morts dans l'océan Indien que le cancer et l'infarctus réunis.

— Drogue, prostitution ?

— Plus tout le reste ! Mais cela s'apparenterait davantage au « Syndicat du Meurtre » ricain. Vous êtes sympa et encore jeune, alors si vous tenez à la position verticale, ne touchez à ça sous aucun prétexte, mon cher. Pour vous faire bien comprendre ce que représente le W.M., laissez-moi vous dire que si le barman ou l'une des dragueuses qui me tenaient compagnie vous avait entendu formuler votre question, vous pouviez avoir de gros ennuis.

Un léger froid me parcourt la guite. Bigre ! comme disent les gens mal embouchés, ça m'a l'air sérieux !

— Vous ne pouvez pas me fournir davantage de précisions ?

— Non, Mister San-Antonio, je ne peux pas. Vous connaissez cet adage sicilien ? « Sais-tu pourquoi mon grand-père a vécu jusqu'à cent ans ? C'est parce qu'il a su fermer sa gueule ! »

Le serveur nous consommiste. Mon *bloody mary* est au vitriol. Deux tiers de vodka, un tiers de jus de tomate, plus un trait de tabasco abondant comme une défoutraison d'éléphant, et tu obtiens une lampe à souder pour tripes et boyaux.

— A point ? s'inquiète Prince Larwhist.

— Un rêve. J'ai l'impression de boire de l'acide chlorhydrique au goulot. Maintenant, seconde question, Mister Larwhist...

— Appelez-moi Prince, propose mon chosefrère.

(1) W.M. : initiales de *White Monkey* (Singe Blanc).

San-A.

— O.K., Prince. Moi, c'est Antoine. Cette deuxième question concerne un certain Kong Kôm Lamoon ; ça vous dit quelque chose ?

Il sirote son glass. Lui, au lieu de tourner sept fois sa langue dans sa bouche ou dans celle d'une gonzesse avant de parler, il la tourne dans son scotch.

— Si vous êtes venu à Sing Sing pour vous suicider, dit-il, vous auriez aussi bien pu faire ça chez vous avec un tube de Gardénal. Y a pas le gaz, dans votre appartement ? Et en qualité de flic, vous ne disposez pas d'un fort calibre en état de fonctionner ?

— J'ai toujours rêvé d'une fin exotique, rétorqué-je.

— Alors vous m'avez l'air de frapper aux bonnes portes, Antoine.

— Cela dit, vous n'avez pas répondu à cette seconde question. Elle est tabou, elle aussi ?

Il sort un fort mouchoir à carreaux, en enveloppe son pif rouge et pointu, donne un coup de clairon qui fait songer à une charge de cavalerie et le remet dans sa poche, satisfait de sa récolte.

— Et vous, Antoine, que savez-vous du monsieur en question ?

— Qu'il est le monarque du bazar ainsi que de bien d'autres trucs moins avouables, et qu'il a une ravissante fille nommée Chiang Li à laquelle il tient plus qu'à son sceptre royal.

— Alors vous savez l'essentiel, mon vieux ; je n'ai rien à ajouter.

Je baisse le ton :

— Cet honorable industriel appartient au W.M., d'après vous ?

Il gorgeonne à nouveau.

— Et moi, Antoine, j'appartiens à la nation britannique, selon vous ?

— Vu. Troisième et dernière question : avez-vous entendu parler d'un Français établi à Singapour du nom de Martin Maldone ? Il serait dans les affaires, lui aussi.

— Troisième volet de votre mission, ricane Prince. Joli choix.

— Voyons, Prince, dans notre job, lorsqu'on fait des milliers de kilomètres pour s'intéresser à des gens, c'est rarement au curé ou au bonze de la paroisse !

— Bien que votre troisième rubrique ne soit pas du même tonneau que les deux précédentes, le gars que vous citez est classé dans les businessmen plutôt équivoques. C'est pour lui que vous venez ?

— Plutôt pour sa belle-fille qui, paraît-il, représente sa firme en France. On meurt beaucoup dans l'entourage de cette femme, et pas de la scarlatine ! Elle se trouve à Singapour présentement et j'aimerais savoir ce qu'elle y trafique. On peut trouver de la main-d'œuvre compétente dans le genre police privée ? J'aimerais la faire suivre.

— On remet une tournée ? me demande Prince dans un français qui ferait se gondoler un analphabète de la Lozère.

— Oui, la mienne.

Il a des signes cabalistiques, l'Anglais, pour communiquer avec le barman car, vingt-six secondes plus tard, celui-ci radine avec deux nouveaux godets.

— Ça peut se trouver, fait-il enfin en réponse à ma question. La femme dont vous me parlez est inconnue ici et la réputation de son beau-père ne défraie pas la chronique. Donc, pas de contre-indication.

— Vous pouvez me dénicher l'oiseau rare ?

— Pas de problème : Mâ Jong est le ouistiti qu'il vous faut. Un seul défaut : il est cher.

— Tous les hommes de valeur le sont, résigné-je. Mais rassurez-vous, Prince ; si la France n'a toujours pas de pétrole, elle a encore du pognon !

Entre autres babioles, Larwhist m'a appris quel était le point de chute principal de la belle Chiang Li : le *Spring Club,* situé en bordure de la Singapore River. Selon lui, elle y passe une bonne partie de ses journées, depuis son lever jusqu'à l'heure du thé. Elle y joue au tennis, s'y baigne, y prend son lunch en compagnie de quelques amis. « Surtout, m'a-t-il prévenu, ne cherchez pas à l'approcher car vous auriez affaire à ses gardes du corps, terriblement vigilants. Ils ont été dûment sélectionnés par le papa qui les paie grassement. On ne s'aperçoit pas de leur présence, mais sitôt qu'un inconnu semble s'intéresser à la fille, ces personnages sortent de l'ombre et interviennent vigoureusement. »

Me voilà donc prévenu, ce qui fait que je vaux deux San-Antonio ! Or, sans vantardise, le gazier qui vaut deux San-Antonio n'a pas grand-chose à redouter des truands d'Asie.

Je réfléchis à cela dans le vélo-pousse qui me drive à travers la ville. Celle-ci paraît neuve. Ses buildings dressés dans des zones de verdure parfaitement entretenues ressemblent à la maquette d'une cité en projet. Les nombreuses tours blanches n'ont rien d'écrasant. Tout est propre, ratissé, étincelant au soleil équatorial. La chaleur moite est adoucie par des brises marines et tout le monde semble très heureux. De nombreuses races se côtoient : Chinois, Malais, Indiens, Occidentaux, en totale décontraction. Ils vivent avec calme le frénétique essor de la cité, chacun conservant sa religion, ses traditions. Leur dénominateur commun ? Le dollar singapourien. On est là pour gagner de la fraîche sans se faire chier et l'on est fier de cette minuscule république grande comme le territoire de Belfort, sorte de capitale des affaires en Asie.

Les rues sont grouillantes car, sauf en période de mousson, les habitants vivent dehors.

Le pédaleur qui me tire est un vieil homme à lunettes, coiffé d'un petit chapeau de cuir. Il porte un short et une chemise Lacoste bleus. Il tracte sans effort apparent, mécaniquement, le buste bien droit, les épaules à l'équerre. Ses muscles saillent et brillent comme de l'acajou. Nous allons d'une allure qui paraît lente mais qui est si continue, si régulière que je vois défiler rapidos les banques, les offices de voyages, les grands magasins, les hôtels, les éventaires ambulants, les carrefours et les lacs artificiels.

Quel âge a ce vieil Asiatique ? Celui de maman ? Plus vieux, peut-être ? Les Jaunes, c'est duraille de leur évaluer le carat. J'ai vaguement honte de laisser traîner ma viandasse par ce vénérable bonhomme. A chaque tour de roues, je regrette un peu d'avoir sacrifié au folklore.

Il fait un temps sublime. C'est plein de filles somptueuses. Malgré les avertissements de Prince Larwhist, je me sens détendu. Il faut dire que je ne suis pas seul à Singapour. Je pense au Vieux, endormi à notre hôtel. A Béru et Pinuche qui ont fait un coup d'éclat et sont venus de force. Une manière à eux d'emmerder Chilou, de battre en brèche son autorité. Que font-ils, présentement, mes deux zozos ? Ils ne savent pas grand-chose de l'affaire. M. Kong Kôm Lamoon, sa fille, Martin

Maldone, le beau-dade de Sonia Wesmüler, ils n'en ont pas entendu parler que je sache. Le seul renseignement que possède Mister Mammouth, concerne la présence ici de « la dame blonde ». Il a entendu Jérémie évoquer le départ d'icelle pour l'Asie. Que vont-ils entreprendre, ces braves soiffards ? Voilà que je suis en compétition avec mes subordonnés ! On aura tout vu !

Ma pensée glisse au rythme du vélo-pousse. Comme allure, cela évoque une embarcation à rames défilant sur une eau tranquille. On vogue, avec de légers soubresauts dus aux coups de pédales du vieillard parcheminé.

Madeleine, ma gentille scripte, a probablement tâté du vélo-pousse, elle aussi, quand elle séjournait ici. De même que Fluvio et qu'Elianor Dakiten. Tous les touristes de passage en Asie s'offrent ce plaisir comme ils s'offrent une gondole à Venise.

Le cyclo-poussiste stoppe, met pied à terre.

Nous sommes arrivés.

Il me désigne un vaste jardin bordé de haies vives et planté d'arbres tropicaux. On distingue la rivière, tout au bout, des tennis, une immense piscaille avec des hamacs et des fauteuils de rotin autour, un *club-house* gigantesque bâti de plain-pied, avec un toit aux tuiles vertes. Des oriflammes claquent dans la brise au bout de mâts peints en blanc. En bordure de rue s'offre un vaste parking où sont rangées des tires de *first quality :* Ferrari, Porsche, cabriolet Mercedez 500 SL. Le nec !

Un garde en uniforme blanc se tient assis à l'ombre d'un parasol près de la barrière de l'entrée. Il me regarde survienbre d'un regard de bull-dog réveillé par une odeur de hot dog. J'ai quatre secondes pour lui fournir un argument susceptible de le convaincre d'avoir à me laisser pénétrer en ce lieu hautement privé.

Je m'annonce, l'air rogue. Parvenu à sa hauteur, je sors ma carte en m'arrangeant pour que seul le mot « police », grossement imprimé, soit lisible.

— Je suis envoyé par Mister Kong Kôm Lamoon, fais-je brièvement, sans presque marquer d'arrêt.

Rempoche ma carte et poursuis ma route.

Le garde n'a pas réagi. Je vais d'un pas tranquille, en fredonnant *O Sole mio*. L'âme en fête, le soleil au cœur. Comment diable ce fouille-merde de Fluvio a-t-il obtenu cette cassette sur laquelle est enregistrée une communication du « Singe Blanc » ? Et les photos de Chiang Li, hein ? Il les a eues de quelle manière, les photos de Miss Chiang Li ? Lui, un petit crevard à la remorque d'une équipe de cinéastes. Un gredin de bas niveau, organisateur de partouzettes. Piqueur de sac à main à l'occasion. Détrousseur de vieilles dames.

Autour de la piscine, je découvre la faune habituelle de jeunes et riches désœuvrés. Beaucoup d'Occidentaux (c'est pourquoi ma venue passe inaperçue), mais pas mal d'Asiatiques aussi.

Des baffles savamment disséminés diffusent une musique chinoise nasillarde, étrange mélopée qui râpe un peu l'âme.

Le bruit élastique du tremplin, ponctué de celui des plongeons. Gerbes d'écume irisées. Cris, rires. Bonheur élémentaire de l'eau, griserie du soleil, luxe, oisiveté, alcool...

J'avise un bar près de la piscine, avec un auvent de chaume. Des serveurs indiens confectionnent des boissons versicolores.

Je m'y dirige, prends place sur un tabouret.

Je suis en attente, aux aguets. Réduit aux aguets !

Le guépard. Le guépard tapi derrière (ou devant, selon le côté où l'on se place) un comptoir de bambous. Le guépard sirotant son troisième *bloody mary,* les narines retroussées, la prunelle écarquillée, les ondes captatrices. Il est frémissant, le guépard car il a envie de pisser. Les hommes d'action y ont droit comme les autres.

Je descends de mon perchoir et m'informe des *lavatories.* Il faut se rendre au *club-house* proche.

Le lieu est luxueux : ferrures dorées, verre fumé, plantes rares, motifs décoratifs. Un énorme dragon chinois en couleurs, avec une gueule de vieux poivrot trône dans le hall. Les chiches sont sur la droite.

Vais. Pisse.

La musique est omniprésente. Elle viorne à t'en déglinguer le système nerveux.

Les lavabos sont nickel, gracieux. Tu y passerais tes vacances.

Juste que j'en sors, une personne quitte les toilettes réservées aux gonzesses. Cabriole de mon guignol, identique à celle d'un garenne flingué en pleine fuite ! Elle ! La « princesse » Chiang Li. Elle, je te jure ! Aucun doute !

Putain, ce module de plaisance ! Autant de beauté, de grâce, de charme, de sex-appeal, encore jamais ! En tout cas pas à ce point. J'ai trouvé ça chez des Occidentales : une Danoise, une Parisienne, une Romaine ; mais pas encore chez les Jaunettes. Tu es ébloui, commotionné. Haute tension ! Le zanzibar en folie, en détresse. T'as un tisonnier incandescent dans le prose, des picotis le long du chibre, des ondes abrasives dans les roubinches ! Plus moyen de ciller, de déglutir, de se gratter entre les miches ! Blocage complet. Pétrification absolue.

Je la regarde, regarde, regarde, regarde, regarde encore, regarde de partout, regarde totalement, regarde pour toujours. Ses photos laissaient présager mais demeuraient bien au-dessous du réel. Je suis transformé en statue de sel ; de demi-sel ! Ce que les clichés étaient incapables d'exprimer, c'est la « vibration » du personnage. Sa chaleur, son velouté, son mouillé, son tout le reste, son *must*, son aura, son je-ne-sais-quoi.

Décrire ? Te la décrire, tu voudrais ? Mais et les mots, dis, Ducon ? Les mots ! J'ai beau en fabriquer, y en aura jamais suffisamment d'assez justes, précis, appropriés ! Faudrait s'y mettre tous. Puiser au besoin dans d'autres langues : le mandarin, le sanscrit, le belge, pour tâcher à cerner le réel, pas arnaquer la vérité !

Son maintien ! Si tu voyais son maintien, bordel ! Cette taille flexible, ces seins parfaits, je répète en deux mots : par-faits ! Ce fessier inouï, je dis bien : i-nouï ! Le cou ! Viens regarder son cou et tu comprendras ce que c'est qu'un cou ! Tous les cous que tu as pu voir avant elle n'étaient que des manches à tête ! Mais le sien, vérole ! Le sien !!! Le visage ! Pas du tout la frime magot ! Tu as maté des statues grecques ? Diane, Machine, Chochotte ! Tout ça, en marbre blanc. Oui ? De la merde ! Elle possède un ovale si infiniment parfait que tous les ovaux (Béru dixit) existant ne sont que des cercles déformés. Les pommettes, je t'en cause pas, ou à peine. Presque géométriques, hautes, faisant sur les joues une ombre délicate. La bouche ! Putain, la bouche ! Charogne, la bouche ! Tu sais comme elles l'ont mince, les Asiatiques ! En fente de tirelire, en cicatrice d'appendicite. Chiang Li, elle, sa bouche c'est toute la volupté du monde. Une bouche peinte par Man Ray ! Tampon encreur ! On est passé par le nez ? Pas encore ? Tout ce que je saurais t'en dire, c'est qu'un nez pareil, tu ne peux pas le moucher, ni poser des lunettes dessus, ni mettre des gouttes dedans. C'est le nez. Prototype, tu *see?* Joyau Cartier ! *The nose!* Faudrait un écrin cuir-de-Cordoue-satin. Ces Jaunasses, habituellement, elles ont le pif de Cassius Clay. Plus ou moins. Moi, leur blair, j' sais pas pourquoi, il me fait songer à la mort. Je suis bizarre, non ? Eh bien, le tarbouif à Mam-'zelle Lamoon, c'est à la vie qu'il me réfère. A la vie noble de l'art. La grâce, l'impeccabilité.

Mais le sublime, c'est les yeux, mon pote ! Alors là ! Alors là ! Tu meurs. Ils sont obliques, certes, mais si veloutés, si ardents, si pleins d'éclats éblouissants ! Que ton regard croise le sien et t'es foutu ! Foudroyé debout ! Tu viens de toucher une ligne à haute pension, comme dit le Gravos. Impossible de t'en arracher. Faut que ce soit elle qui prenne l'initiative de la séparation, qu'elle interrompe le courant. T'aperçois l'infini. Tu es en pleines nuées ardentes. T'es gâteux à te pisser parmi.

Moi, je sidère éperdument. Je voudrais causer, mais mes cordes vocales se sont détendues et font la lanière de fouet qui pendouille. Plus moyen d'émettre un son, une voyelle, voire une infime consonne, cette parente pauvre de l'alphabet. J'ai du cloaque dans le gosier.

Et voilà que j'opère un truc que je ne prévoyais pas. Toujours, ton Sana, si t'as remarqué ? Il échafaude, et puis au dernier moment, se livre à une réaction contraire.

Inattendu, ton bien-aimé commissaire de tes

deux. Avec lui, Grouchy est à l'heure, toujours ! L'instinct ! C'est son maître absolu, à l'Antonio, l'instinct. Il peut combiner tout ce qu'il veut, si l'instinct renâcle, y a rien de fait.

Sans un mot, je prends l'album de ses photos dans ma poche poitrine et le lui présente.

En fille réservée, toujours sur son quant à elle, Chiang Li se garde bien d'y toucher. Elle bêche un grand coup en me flagellant de son regard de chatte sur une bite brûlante. Fait un mouvement pour passer.

Alors j'ouvre l'album à deux mains et le lui présente. Elle s'arrête, saisie comme on dit. Saisie, j'ai bien noté. Y en a plein la littérature, bonne ou mauvaise : « Il s'arrête, saisi ». Bon, alors, y a aucune raison que pas moi.

Elle s'arrête donc, saisie, re-donc. Cette fois, elle empare le petit *book*, le feuillette.

— Où avez-vous pris cela ? elle demande-t-elle.

Maintenant, c'est ma fameuse et sempiternelle carte de poulet que je lui montre (en troisième position, si ça pouvait être ma queue, je serais rutilant de bonheur !).

Mes ficelles se sont retendues. Je me donne le la, et j'attaque :

— J'appartiens à la police parisienne, mademoiselle. Je crains que des choses graves vous menacent. Il serait bon que j'aie un entretien avec vous et votre père.

Le flegme britannique c'est de la roupette de pensionné comparé à l'impassibilité chinoise.

Elle me rend l'album, comme si je venais de lui proposer un livre porno et qu'elle refuse de l'acquérir après l'avoir compulsé.

— Vous restez au club un moment ? s'informe la déesse.

— Le temps qu'il faudra.

Sa voix, si tu saurais ! Vache, ce timbre harmonieux, mélodieux, chaleureux, poilaunœud ! J'en ai les trompes ensorcelées. Je mouille des tympans, c'est bien simple !

— Si vous voulez attendre au bar...

— Je vous attendrais dans un chaudron d'huile bouillante si vous le souhaitiez, Miss Lamoon.

Elle reste sans rédaction (Béru). Attend que je carapate.

Bon, je retourne devant mon glass. Seigneur, mais qu'ai-je fait pour mériter Tes largesses ? La placer sur mon passage, en cet endroit discret, c'est plus que du hasard, ça. C'est du miraculeux !

Une jolie mouche bleue avec des reflets verts est en train de se saouler la gueule dans mon *bloody mary*. Comme c'est mon jour de bonté, je la repêche avec la cuiller à long manche et la dépose sur le rade.

Un barman l'écrase d'un coup de serviette.

C'était pas le jour de la mouche.

PAPA

Le mec qui m'aborde ressemble à un robot pour jeux télévisés. Il est carré du buste et de la tronche. Tu ne vois pas ses yeux figurés par deux traits en forme de cicatrices presque guéries. Il porte un pantalon de flanelle blanche et un blouson de coton sur une poitrine sans poil dont la peau brille comme du bronze poli. Le vêtement pend sur la gauche, plombé qu'il est par un feu monumental dont on distingue nettement les contours. Ses cheveux noirs, huileux, coiffés très court lui donnent une allure guerrière. Son pif est large comme une omelette de six œufs, et ses oreilles en chou-fleur révèlent qu'il use davantage de ses poings que de son stylo.

— Miss Lamoon vous attend, jette-t-il dans un mauvais anglais.

Je cherche de la fraîche pour cigler mon breuvage, mais il a un geste d'agacement et dit :

— Laissez !

Du moment que c'est la tournée du patron…

Je le suis jusqu'au parking. Il s'approche d'une Rolls Corniche décapotée de couleur blanche. Chiang Li est assise à l'arrière. Un gusman en uniforme blanc galonné se tient au volant. Je prends place près du chauffeur, sur l'invite sèche de mon mentor ; lui-même s'assoit auprès de la déesse.

En route.

Singapour, c'est une sorte de ville rêvée. T'as le centre, ultramoderne, avec beaucoup de zones vertes. Çà et là, quelques constructions de style colonial, qu'on sent promises à la pioche à brève échéance.

Mais on quitte bientôt les rues effervescentes pour gagner un quartier plus tranquille. Je me dis qu'on se rend dans le coinceteau hurff, avec les cabanes ultra-big-standinge. Mais mon cul, comme le dit avec sa désinvolture coutumière la reine Elizabeth II à la mère Thatcher, quand celle-ci prétend lui faire signer la facture concernant la pose d'un nouveau bidet à jets multiples et rotatifs au 10, Downing Street.

Au lieu de cela, nous plongeons dans le quartier chinois. Et alors ça devient pilpatant. Ah ! ce grouillement ! Ces maisons pauvres mais colorées ! Ces enseignes qui se succèdent en travers des rues ! Ah ! ces échoppes (c'est du belge !) bigarrées, de guingois, bizarres, où l'on vend des canards laqués raides comme barre, qui paraissent sculptés dans du noyer ! Ah ! ces officines à vocation médicinale, bourrées de lézards séchés, de serpents en bocaux, de plantes suspectes aux couleurs vénéneuses ! Ah ! ces blanchisseries fumantes, encombrées de linges innommables ! Ah ! ces marchands de bijoux en jade, ces magasins où l'on vend des cercueils peints en rouge, couverts de motifs dorés ! Ah ! cette faune pittoresque au coude à coude ! Ces éventaires branlants qui proposent des mets croustillants et pourtant inquiétants ! La population s'agglutine dans ces artères étroites. On voit, sur les trottoirs, des gamins joueurs et des vieillards immobiles, momifiés par le temps. Des pousse-pousse ! Des véhicules plus insolites encore ! Des caisses entassées contre des façades d'immeubles. Des femmes poussant un ancien landau reconverti en caddie et qui se tord sous une charge extravagante. C'est terrible et grandiose ! Flash brutal sur l'Asie dans son bouillonnement.

La Rolls roule au pas. Le conducteur klaxonne et la foule s'écarte. Parfois, l'avant du vénérable véhicule heurte une hanche, un derrière. Celui qui est ainsi télescopé s'écarte sans protester.

Au fur et à mesure qu'on s'enfonce dans ce *chinatown*, un vague traczir m'empare. Où m'emmène-t-on ? Pourquoi gagner ces rues sordides ? La seule chose qui me rassure un peu c'est la présence de la belle Chiang Li. Si l'on me voulait du mal, on n'emmènerait pas la jeune fille dans cette expédition.

La Rolls semble de plus en plus grosse dans ces méandres de plus en plus étroits. Coupons-nous à travers ce quartier pour gagner du temps ? Cela m'étonnerait.

Soudain, sans que rien ne le laisse présager, la voiture stoppe. Le chauffeur saute de son siège pour ouvrir la portière à Chiang Li. Le garde du corps de Miss Lamoon (et quel corps !) l'imite et me fait signe d'en faire autant.

Nous nous trouvons devant un immeuble d'un étage, avec un toit genre pagode. Il est peint en rouge vif. Les entourages des fenêtres sont verts. Tu te croirais chez Paul Bocuse. D'ailleurs, il s'agit également d'un restaurant.

Le driveur pousse l'un des deux ventaux et le tient ouvert pour permettre à Chiang Li de pénétrer. Bon prince, il continue de le maintenir ouvert à mon intention. Je suis la môme, hypnotisé par son popotin hallucinant. J'entrerais plus volontiers dans son cul qu'à la Trappe, comme dit le roi Baudouin quand il se rend incognito à un concert de Madonna.

Une âcre odeur m'agresse. Composite. Musc et friture, gingembre et alcool de riz (ce breuvage qui paraît avoir été dégueulé six fois de suite avant de vous être servi). C'est bas de plaftard. Des ventilateurs brassent l'air poisseux. De la fumée ouate les nombreuses lanternes qui pendent au-dessus des tables. Des clients clapent. Les serveurs portent des costumes chinois : pantalon de soie noire, blouse mordorée où l'on a brodé des dragons éructant, tout feu tout flamme. Calotte ronde, noire, affublée, sur l'arrière, d'une petite natte de velours.

Chiang Li traverse le restau enfumé. Tout au fond, se trouve une seconde salle, petite celle-là, au centre de laquelle se trouve une seule table. Celle-ci est sûrchargée de chauffe-plats alimentés par des bougies. Une cohorte d'assiettes sont disposées sur cette surface chauffante, qui contiennent des mets franchement appétissants. Moi qui suis un inconditionnel de la cuisine chinetoque, je peux t'annoncer que mes gustatives font du *home-trainer*. A cette table unique, un unique convive. En bleu croisé, chemise blanche, nœud pap' gris. Au premier regard, tu comprends que cet homme n'est pas n'importe qui ! D'abord, il est beau. Ensuite, il a ce qu'au cinoche on nomme « une présence folle ». La cinquantaine, un visage de Jaune modifié par un sculpteur grec. Chevelure abondante, portée longue et nouée sur la nuque par un ruban de soie. Chiang Li possède ses yeux. Un regard intense, bien lisible. La bouche est également charnue et d'un dessin parfait. Seule entorse aux belles manières : sa façon de briffer. Un Italien, fût-il de la bonne société et un Asiatique de qualité, bouffent au lieu de manger. Le Rital aux prises avec ses spaghetti et le Chinetoque (ou assimilé) qui s'explique avec son bol et ses baguettes perdent leurs manières aristos. Ils s'empifrent. Note que pour l'Italoche ça ne dure que le temps de la *pasta*. Sa dernière tagliatelle aspirée, il redevient gentilhomme de table, alors que l'Asiate continue de se propulser la tortore dans la clape avec une prestesse d'écureuil survolté.

Nous nous avançons jusqu'à lui, Chiang Li et ma pomme. Le garde du corps reste à l'intersection des deux salles séparées par une double porte laquée noire.

Mister Kong Kôm Lamoon repose son bol, ses baguettes de tambour et s'essuie les lèvres. Puis il se dresse. Il est grand, bien découplé. *Découplé,* je trouve ce terme très infiniment con. Je ne sais pas pourquoi, il fait artificiel, prétentiard. Pour moi, un mec bien découplé, c'est un gazier qui s'est séparé de sa compagne : il était *couplé* avec elle, il s'est *découplé*. Mais enfin bon, je l'utilise en passant, juste pour te prouver que je le connaissais, mais c'est la première et dernière fois, j'aurais honte d'en abuser.

Il murmure dans un anglais maniéré, étudié sûrement à Oxford, voire Cambridge (ou alors dans la banlieue immédiate) :

— Je vous souhaite la bienvenue, monsieur, prenez un siège, je vous prie. Accepteriez-vous de partager mon très modeste repas ?

— Avec plaisir, m'empressé-je. Mon nom est San-Antonio. Commissaire San-Antonio, de la police parisienne.

Là-dessus, je dépose mon inestimable personne sur une chaise de bois doré.

Plusieurs serveurs qui s'empressaient de servir la messe au roi m'affublent d'un couvert. On me prépare du riz dans un bol de fine faïence, des crevettes à la sauce Tieng Fûm.

— Je bois du thé, m'avertit Kong Kôm Lamoon, mais comme vous êtes français, sans doute préféreriez-vous du vin ?

— Non, non, du thé me conviendra parfaitement, abdiqué-je.

Tu parles, avec trois *bloody maries* dans le cornet, tassés à mort, il ne faut plus que j'en rajoute si je veux « raison gardée » comme disent ces cons de politiciens (toutes tendances confondues) pour se faire croire qu'ils font croire qu'ils ont des lettres ! Toujours des formules à trois balles qu'ils utilisent à tout propos ! Quand je les visionne « sur la petite lucarne », ces poncifs souverains, je m'en claque les cuisses !

Mon terlocuteur n'insiste pas. Sa grande fille admirable et surbandante s'est assise légèrement à l'écart. Elle ne prend pas part au repas, elle assiste seulement à l'entrevue comme « auditrice libre ».

En matière de préambule, je place l'album sur la table, devant l'assiette de mon hôte. Il tarde à s'en saisir, bien montrer son self-control. C'est pas un impulsif. Chacun de ses mouvements est prémédité. Il ne prend l'album qu'après avoir mangé quelques bouchées et bu une gorgée d'oiselet à sa tasse. Lorsqu'il le fait, il parcourt le porte-photos avec application, puis le repose.

Pas le moindre regard interrogateur.

— Vous avez fait un bon voyage, monsieur San-Antonio ?

— Excellent. Singapour Airlines est l'une des meilleures compagnies aériennes du monde.

Il s'incline, comme s'il en était propriétaire (d'ailleurs, qui sait ?).

La politesse asiatique l'empêche de poser des questions. Il attend que je m'explique. J'ai l'impression que je pourrais faire traîner sa curiosité jusqu'à la fin du repas sans qu'il la trahisse.

— Monsieur Lamoon, le prené-je-en-pitié, il s'est passé à Paris, ces derniers jours, des faits que je vais vous relater.

Je suis bien décidé à lui narrer la vérité, mais une partie seulement. Alors je bricole le récit ci-dessous.

— Un garçon de vingt-cinq ans, nommé Daniel Fluvio a été assassiné au volant de sa voiture, place de l'Opéra. Cet individu, sans appartenir au Milieu, avait des activités douteuses. Il travaillait pour le cinéma de façon épisodique. Ainsi a-t-il séjourné à Singapour en janvier dernier en qualité de doublure-lumière dans une production américano-européenne. Doublure-lumière signifie...

— Je sais, coupe Kong Kôm Lamoon.

— Bien. J'ai entrepris une enquête relative à cet assassinat. En fouillant chez la victime, j'ai découvert l'album que voici, consacré à Mlle votre fille. Bien entendu, j'ignorais son identité. C'est en interrogeant l'ami et, occasionnellement, le complice de Fluvio, que j'ai su qu'il s'agissait de la fille d'un très grand industriel de Singapour. Le complice dont je vous parle m'a révélé que Fluvio comptait réaliser une bonne opération financière grâce à Mlle Chiang Li. J'ai tenté d'en savoir plus, hélas ! il m'a été impossible de lui en faire dire davantage. Or, quelques heures après notre conversation, ce garçon a été assassiné à son tour. Devant cet état de choses, j'ai pensé, et mes supérieurs également, qu'un voyage à Singapour s'imposait.

Voilà : du bien ficelé ! Simple et pratique ! L'essentiel ! J'ai passé sous silence Sonia Wesmüler, son mari, son beau-père. Je n'ai pas mouillé non plus la belle Elianor Dakiten. Motus également à propos du « Singe Blanc ». Pas fou, le bourdon ! (1)

Les crevettes sont délectables. Qu'à peine les ai-je clapées, on me sert du poulet à la citronnelle, des abalones au gingembre et un truc noirâtre et onctueux, dégueulasse à regarder mais savoureux.

Mon vis-à-vis ne moufte pas. Sa fille est aussi impavide que lui. Drôle d'ambiance, décidément.

— Mademoiselle Lamoon, fais-je, avez-vous eu l'occasion de rencontrer le nommé Daniel Fluvio dont je parle ? Voici son portrait.

Le dabe murmure quelque chose et je te parie les cannes anglaises dont tu te servais quand tu t'es cassé la jambe à ski, contre un séjour à la montagne qu'il enjoint à sa môme de s'écraser. Elle jette une œillée rapide à la photo que je lui présente et secoue négativement sa ravissante tête.

— Vous ne formulez aucune hypothèse à propos de ces événements ? demandé-je à Sa Majesté le *king* des bazars.

Il repousse son bol de bouffement, pose ses coudes sur la nappe et croise ses mains d'ivoire. Il m'examine par-dessus ce pont de doigts.

— Je suis un homme fortuné, comme tel, j'ai probablement des ennemis, et la sécurité de ma fille est menacée, aussi est-elle étroitement surveillée. Sans doute, l'homme dont vous me parlez a-t-il

(1) Masculination de l'expression « Pas folle, la guêpe ».
San-A.

rencontré ici des gens peu recommandables et, peut-être, ont-ils échafaudé un projet visant à l'enlever ?

— Vous pensez que des gangsters de Singapour auraient besoin de l'aide d'un petit voyou français de passage ? je demande-t-il.

Et ma question me fulgure une idée. Une certitude, ajouterais-je.

Fluvio et Chiang Li se sont connus. Ou du moins, rencontrés. J'en mettrais ta main au feu !

— Merci de m'avoir averti, monsieur San-Antonio, fait Kong Kôm Lamoon. Nous renforcerons la vigilance autour de ma chère fille. A quel hôtel êtes-vous installé ?

— *Dragon Palace.*

— Vous avez bien fait, c'est l'un des tout meilleurs du pays. Un peu d'alcool de riz ? Ce restaurant possède le plus fameux de la péninsule.

— Non, merci, refusé-je, peu soucieux de consommer un breuvage ayant déjà le goût de la gueule de bois qu'il occasionne.

On se quitte peu après.

— Je vous fais reconduire à votre hôtel, déclare Lamoon. Si vous aviez besoin de me contacter pendant votre séjour, voici ma carte, je donnerai des instructions pour qu'on me passe vos communications en priorité.

— Merci.

Je lui tends la main. La sienne est froide comme son âme.

ANGES

Achille roupille comme un bienheureux. Il a mis son pyjama de soie blanche monogrammé, posé son dentier de cérémonie sur sa table de chevet. C'est un raffiné. Il s'est payé le luxe de faire réaliser deux ratiches en or dans sa boîte à dominos pour créer la certitude que les autres sont véridiques.

Il dort en ronflottant avec cette distinction dont il ne se départit jamais, même quand il se fait mâcher la membrane. Ça produit un léger « tuuuttt » flûté. Son crâne luit dans la pénombre, comme un cuivre sur un tableau de Rembrandt.

Je me retire doucement. Le sommeil me point. Ça vient de la digestion *(lady gestion)* survenant après ces heures de vol sans pioncer. Je retire mes targettes, dénoue ma cravate et m'allonge sur le couvre-lit de satin broché. Pas joyce comme contact. Aussi prélevé-je l'oreiller afin de lui confier ma nuque. Alentour, c'est le silence. On perçoit tout juste le chuchotis discret du climatiseur, moins perceptible encore que la respiration du Vieux.

Je voudrais faire le point, mais ça s'embrume à grande vitesse sous mon dôme. Les fumigènes de la fatigue qui m'ouatent le bulbe comme dans un spectacle de Hossein.

Ai-je été bien avisé de jouer (presque) cartes sur table avec Kong Kôm Lamoon ? N'ai-je pas obéi à un sentiment de peur ? En somme, en lui révélant ma qualité de poulet (citronnelle) et, (partiellement) l'objet de mon voyage, je l'ai désarmorcé, me suis implicitement placé sous sa protection. Enfin, j'ai agi selon mon vieux réflexe. Cela dit, je crains qu'il n'en sorte rien de positif. Lamoon va étudier le problème de l'album-Fluvio, certes, mais pour son compte. Il ne me fera jamais part des résultats de son enquête à lui. Il a de la gueule, ce personnage, de l'envergure. Il exerce une fascination incontestable sur ses contemporains.

« Et maintenant, me dis-je-t-il, que vais-je faire ? » Bécaud chantait ça à l'époque de son époque. Prince a dû mettre son détective chinetoque, le dénommé (bien nommé) Mâ Jong sur la piste Sonia. Peut-être que cela donnera quelque chose ? Je peux toujours espérer.

Mes yeux se ferment et c'est savoureux. Voilà que j'embarque sur la nacelle des rêves.

Il a raison, Chilou. On a besoin de réparer ses forces avant d'être opérationnel.

Tout de même, avant de vaper complet, je me dis que venir roupiller à Singapour, ça met chère la dorme.

Une notion de présence, un poids léger sur ma couche, me réveillent en sursaut. Il fait nuit, mais une immense fluorescence entre dans la pièce par les fenêtres dont j'ai omis de tirer les rideaux. Je tâtonne pour chercher à mon chevet quelque contacteur électrique. Une main douce stoppe mon geste et reste sur mon poignet. Une voix féminine chuchote « Non, laissez. » En anglais, mais le ton est capiteux tout de même. Je me soulève sur un coude et découvre, assise au bord de mon plumard, une silhouette gracieuse car extrêmement féminine de partout. En un éclair, je suppute des hypothèses. Une jolie souris d'hôtel comme dans les *books* de Maurice Leblanc ? Ou bien une dame pute qui s'est introduite de force dans ma turne afin de me violer et de violer mon portefeuille ?

Mon regard, encore plein des algues du sommeil, s'habituant à la pénombre, je ne tarde pas à capter la vérité. Les yeux, ils ne sont pas exigeants le moindre. Tu crois toujours qu'il te faut des ampoules de cent cinquante watts pour vivre la nuit, en réalité, grâce au phénomène d'accoutumance, tu parviens très bien à traquer tes morpions à la lueur d'un ver luisant

Chiang Li !

Comme j'ai l'honneur de te le dire. Sublime à s'en mordre les châsses, dans une robe-fourreau noire en lamé.

Elle n'a pas lâché ma dextre, me contemple d'un regard infiniment voluptueux.

Putain, si je m'attendais ! Ce morninge, sa froideur, sa réserve extrême m'avaient surpris. Je me demandais pourquoi le roi du bazar mourronnait pour sa petite princesse, l'au point que je la voyais b.c. b.g. mutismeuse, docile, effacée pour ainsi dire. Mais là, je pige sur grand écran. Elle m'a jeté son dévolu, la môme. Sous ses mines hermétiques, elle appréciait le bonhomme. Se disait qu'elle devait être un crack du chibre à moustache, la belle affure venant de Paris ! Une grosse bite messagère, en somme ! Le goume forcené plein d'inventeries superbes. Le gusman intrépide du radada. Qu'avec un gars façon mézigue, les slips devaient ruisseler comme les toitures savoyardes à la fonte des neiges !

Cette certitude l'a totalement investie. Son tempérament de braise incandescente l'a conduite à me visiter. « *Mister San-Antonio, please ?* » « Il est dans son appartement, Miss. Dois-je le sonner ? » « Inutile, je vous remercie. » Elle est montée. Son garde du corps parfaitement équipé lui a déponné ma lourde en un tour de con. « Entrez, vous êtes chez lui ! » Est-il au moins demeuré dans le couloir, cet enfoiré ? J'espère qu'il n'est pas assis en tailleur dans un coin de la chambre à attendre que ça se passe.

Parce que, laisse-moi t'informer d'une chose : *ça va se passer !* T'arrêtes plus un rouleau compresseur sans frein dans une descente ! Moi, je crie pouce à l'enquête. Voire pousse-pousse ! Il a droit à quelques instants de repos, le guerrier, non ?

— Vous me jurez que je ne rêve pas ? démarré-je, assez conventionnellement, je sais, mais dis, on n'attaque pas Cyrano par la tirade des nez !

Sa deuxième main (que n'en a-t-elle autant que son bouddha, la chérie brûlante) m'effleure la région protubérante pour un bref bulletin d'information. Elle y puise l'assurance qu'elle vient de fracturer la bonne porte ; ça va être temps sec et chaud sur l'ensemble du pays !

Elle gazouille :

— Je n'aime l'amour qu'avec les Latins !

— Et comme vous avez raison, douce Chiang Li. Le reste n'est que du décaféiné ! Votre présence me comble ! Quelle sublime initiative avez-vous eue en venant me rejoindre !

Mais mon blabla ampoulé ne constitue pas sa tasse de thé (c'est le cas d'y dire). Elle, les phrases tarabiscotées, elle s'en respire à longueur d'existence, alors tu penses ! Elle est là pour faire relâche, pas pour se respirer des vers libres.

— Il paraît que les Chinoises n'aiment pas le baiser sur la bouche ? risqué-je.

En manière de réponse, elle s'allonge sur moi. Elle sent la roseraie au matin, la jeune fille fraîche éclose, un tout petit peu le patchouli aussi. Sa bouche ventouse la mienne, sa langue force (sans mal) mes lèvres. On se galoche à l'éperdu : valse des patineurs qui nous arabesque le centre des télécommunications.

Moi, puisqu'on se dit tout, une robe-fourreau, j'ai jamais pu lui résister. Faut que j'en dépiaute la dame qui la porte. Comme en général c'est pas les grosses vachasses qui peuvent se couler dedans, mon entreprise est chaque fois payante ; sauf la fois, à Hambourg, où j'ai découvert que j'avais affaire à un travelo hormoné femelle.

La robe-fourreau, t'as pas la possibilité de l'attaquer par le bas, à moins de chiquer les Attila et d'y aller à la saccagette ; ce qui n'est pas mon style de gentleman, bien que certaines aiment ça. Non, la robe-fourreau, faut l'entreprendre par le haut, c'est-à-dire par sa fermeture Eclair ; dégager les brandillons, puis rabattre façon peau de banane. La personne doit se prêter à cette opération. Ça signifie qu'on ne viole pas une gonzesse en robe-fourreau et c'est pourquoi elle est de moins en moins portée par les dames.

Chiang Li, j'en crois pas mes sens de l'avoir dans mon plume, si ardente. Elle me laisse dépêtrer sa pelure en me regardant fixement. Moi, je lui débite des dingueries en français. Des trucs qui partent des couilles, donc sincères. Comme quoi elle m'a fasciné ce morninge, et que depuis, j'ai un tricotin permanent dans le calbute. Ce sont ses photos, sur l'album qui m'ont décidé à venir. Que je vais la faire reluire comme un dingue. La biter de bas en haut, recto verso et dans le sens des aiguilles d'une montre ! Que je lui suppose une petite chatte de tirelire peu apte à mon braque occidental, mais qu'on y mettra le temps qu'il faudra pour lui faire respirer ce morceau choisi de la culture française.

Ça y est, encore deux semi-reptations de la greluse et la voici complètement à loilpé. Sous sa robe, elle ne portait ni soutien-gorge, ni culotte. Directo du producteur au consommateur. C'est étourdissant, une créature pareille à disposition (à dix positions). T'as du mal à te juguler la bandoche, à organiser tes perpétrances. Ça t'intimide, à force de trop. Tu voudrais être au four et au moulin en même temps.

Je prélude à l'après-midi d'un faune par un léger frottaillou du plat de la main sur ses cabochons. Le sursaut m'indique que je travaille pas sur le 110 mais carrément sur la haute tension. *Achtung!* Ça va décoiffer !

Surtout ne brusque rien, Antoine ! Va l'amble, garçon ! Mollo ! N'oublie rien de ton abécédaire amoureux. Performe, mec ! On t'a cherché, on t'a trouvé, tu dois justifier la démarche. La princesse des bazars te veut, c'est toi qui dois l'avoir impeccable pour que ça soit parfaitement réussi. Car la femme qui te veut, veut en réalité que tu l'aies ; et pour que tu l'aies, elle doit l'avoir dans la moniche, mon fils. L'amour, en somme, n'est qu'une déclinaison du verbe avoir.

Cela dit, je pars du sommet et lui mordille alternativement les lobes, avec légère langue mouillée dans le pavillon à conneries, manière de la gouzi-gouziller.

N'ensuite, je passe au cou. Trop de cons le négligent. Le prennent pour un fossé et le sautent. J'ai vu quelques raffinés s'occuper des portugaises, jamais des qui se soient consacrés au cou. C'est sous les maxillaires qu'il convient d'intervenir. La belle râpeuse, ponctuée, là encore, de légers mordillages (1). Je devrais pas te donner la recette, mais enfin on s'emplâtre pas les mêmes gerces, je risque rien. Un seul inconvénient à cette pratique, c'est que c'est l'endroit où la frangine que tu entreprends pose sa touche de N° 5 de Chanel, et que ça te picote la menteuse. Mais dis-toi, Eloi, qu'on n'a rien sans tracasseries. Faut éplucher son orange, se brûler les doigts avec les asperges, et se les meurtrir avec les carcasses de langoustes avant de déguster ces produits de la ferme.

Qu'ensuite du cou, je descends toujours pour un bivouac aux robloches. De deux choses l'autre : ta partenaire est mamellidienne ou pas. Si elle l'est, tu le piges illico, en ce cas, ne crains pas de t'attarder à ce point d'eau, tu ne lui en feras jamais suffisamment. Si elle ne l'est pas, son absence de réaction te l'indiquera rapidos, et alors ne lui fait pas perdre son temps, c'est trop grave.

La môme amorce déjà sa décarrade de printemps. La travailler est un bonheur. Je me sens devenir concertiste, solo de tous les instruments, alternativement : clarinette, piano, batterie, violon, hélicon, basse... Ah ! elle ne regrette pas son audace qui l'a

(1) Contrairement à ce que tu vas croire, « mordillage » n'est pas sanantonien, mais français.

San-A.

poussée à s'introduire dans ma chambre, la belle Chiang Li.

Mais bon, si je te détaillais par le menu la totalité de ce que je lui pratique, ce bouquin n'y suffirait pas ; faudrait me lancer dans le roman-fleuve et pas seulement Fleuve Noir. Pondre l'équivalent de la *Comédie Humaine*, des *Rougon-Marcquart*, des *Hommes de bonne volonté !* Ça prendrait des jours, te ferait goder et éternuer dans ton Kangourou dix fois l'heure ! Je suis obligé de gazer, surtout avec tout ce qui me reste à te narrer ! T'as remarqué que je deviens de plus en plus abondant ? Et pour le même prix ! Mes éditeurs s'arrachent les tifs, comme quoi leur marge bénéficiaire est nazebroque. Ils me supplient de prendre exemple sur Marguerite Duras dont les *books* sont mignards, d'à peine cent quarante pages ! Elle a trouvé une astuce formide, cette écrivaine : elle les fait très chiants pour donner l'impression qu'ils sont longs. Moi, ma directrice littéreuse me répète sempiternellement : « Mais fais-les courts et chiants, toi aussi, bordel ! Tu vas nous ruiner en composition ! » Je réponds chaque fois que je vais voir. Mais quand je suis à l'établi, bernique ! La conscience professionnelle m'empare et je ponds du palpitant, du bien bandant, un tantisoit drôlatique. Je pars du principe que le client est roi. Un lecteur, tu le biteras une fois, deux fois, jamais trois ! Note qu'elle sent bien que je suis dans le vrai, la Founi (c'est le surblaze de la dirluche que je te cause), mais à propos de composition, faut qu'elle compose elle-même avec les tronches pensantes du Groupe. Tout le monde rend des comptes à plus haut perché que lui. C'est l'escalade sans fin. Ça grimpe, ça grimpe ainsi de suite jusqu'au bon Dieu, lequel, parfois, salement embêté, renvoie la balle dans le camp des hommes, et tout est à recommencer. On pure-perte en couronne !

Cette déconnade pour te dire que Chiang Li, c'est un coït de super-gala que je lui sers. Je laisse la bride sur le cou de mon imagination. La bricole dans le très somptueux. On pourrait imprimer tout ce bingntz sur papier couché, papier mâché, ou d'Arménie, comme les chansons d'Aznavour.

Elle, c'est pas une bruyante. Elle laisse les clameurs aux charcutières de banlieue qui vont se faire tirer à Pantruche leur jour de fermeture. Qu'à peine un léger gémissement lui échappe, temps à autre, sous mes assauts. A propos, mes redoutances étaient infondées. Ninette, elle a dû déjà se respirer tant tellement de braques que ce qui, originellement, avait l'apparence d'un œillet de boutonnière est devenu une porte de hangar. A se demander si elle serait pas zoophile, mine de rien, au plus fort de ses transports. Si elle copulerait pas avec un bourrin, et même un éléphant, les jours de liesse ? T'as le nœud qui lui déambule dans la craquette comme toi au Louvre ou au Grand Palais.

Lorsqu'elle atteint l'apogée et qu'elle va larguer les amarres, simplement, elle chuchote :

— Je crois !

Et ça m'émeut, tu peux pas savoir l'ô combien ! Jamais on ne m'avait balancé ces deux minuscules mots : « je crois » ! Ça m'emplit de bonheur. J'en ai les testicules flattés. Dès lors je l'accomplis en grandes pompes en sortant mon coup de reins d'exception qui m'a valu une médaille d'or à Séoul.

Là, tout de même, elle exhale une plainte légèrement plus sonore. Son fabuleux regard de chat siamois (si à moi) reste fixe. Sa poitrine sublime se soulève. Elle laisse filer une minute avant de chuchoter « Merci ». Ça aussi, c'est gentil, je trouve. Une bête de race, j'ai affaire. Tu sais que pour une fille à papa, une princesse ajouterais-je, au tempérament de feu dans un corps de déesse, elle est pas mal du tout. Elle a reçu une bonne éducation, Chiang Li. L'aurait été élevée chez les religieuses que ça ne me surprendrait pas : baiser avec autant de tact.

Je m'allonge à côté d'elle. Je veux la prendre dans mon bras pour la câliner, bien lui démontrer que je sais vivre et ne suis pas de ces butors qui, leur cargaison larguée, se cassent en allumant une cigarette, sans toujours dire au revoir ; mais elle refuse la caresse. Pour elle c'est terminé. J'ai rempli mon office, elle m'a dit merci et à présent il est l'heure d'aller voir autre part si elle y est.

Dépité, je chuchote :

— Attendez, princesse, ce n'est qu'une pause. Nous allons poursuivre cette félicité.

Sans piper (c'est vrai, elle pipe pas, mais je m'en suis bien passé), elle renfile sa robe-fourreau, puis ses fines chaussures. Elle va à la porte, toujours sans se retourner, et l'ouvre en grand. Elle sort dans le couloir sans la refermer. J'ai l'air malin, moi, avec mon panais encore dodelineur sur les cuisses. Quelqu'un passerait à ce moment-là...

Et, justement, quelqu'un passe.

Et même fait mieux que passer : entre délibérément. C'est son garde du corps que je t'ai raconté plus avant, le robot de dessins animés japonais. Je rabats vitos le couvre-lit sur ma camarade coquette en désordre.

— Vous pourriez fermer la porte ! bougonné-je.

Au lieu de tenir compte, messire dégaine un moukala gros comme ça, au canon interminable biscotte le silencieux vissé au bout.

Il l'élève et m'ajuste. Dans un affolement de gamberge, j'essaie de piger. La gueuse efface derrière elle les témoins de ses dépravations. C'est la mante religieuse qui tue le mâle après l'accouplement.

L'œil gauche du Jaune se ferme. Je vis cela au ralenti. Dans un sursaut, je me jette hors du lit. Tentative vaine, folle, inutile. L'homme se tient à deux mètres de moi alors tu penses : que je sois sur le pageot ou la courtepointe, ça change quoi ? Je vais échapper à la première balle. « Pan ! » voilà qui est fait. Peut-être encore à la seconde en roulant sur le côté. « Pan ! » c'est fait aussi. Mais maintenant je suis bloqué contre la commode et la troisième bastos sera la bonne.

Seulement, il n'y a pas de troisième balle. Et je vais t'expliquer pourquoi, Benoît.

Tout culment parce qu'un énorme Asiatique ventru vient de se jeter dans ma chambre en brandissant une statue représentant un éléphant, et qu'il l'abat sur la tronche du tireur. L'éléphant est en bronze. Pas la boîte crânienne du garde du corps. Il tombe raide, comme un arbre scié à sa base, la face sur la moquette, sans le moindre soubresaut. La carrosserie de son cervelet est complètement défoncée et lui, mort comme il ne l'a encore jamais été, a lâché son rigoustin, lequel a glissé jusqu'à moi.

L'Asiatique déclare :

— Si j's'rais pas là, t'y seras plus beaucoup non plus, mon pauv' Sana !

Béru !

Sobre dans un costar encore blanc, un chapeau de paille sur la tronche. Il a rasé sa moustache et s'est passé entièrement le corps au brou de noix. Avec un crayon à cil, il a fendu son beau regard de chamois éploré.

Un second personnage survient : Pinuche, lui aussi transformé en Mandchou. Par contre, lui, il a conservé des baffies, mais les a teintes en noir et rendues davantage tombantes. Déjà, initialement, sa morpho pouvait prêter à confusion, avec son teint jaune et ses traits émaciés. Aussi, sa modification est-elle pleinement réussie.

— Vouairise la gonzesse? demande Béru en anglais.

— Elle est partie avant que tu n'interviennes, répond le milliardaire ; elle était pressée de s'éclipser.

Je me saboule en un temps record. Ça continue de confusionner sous ma coiffe, pourtant, déjà un plan d'action s'organise.

— Attendez-moi ici, dis-je à mes chers anges gardiens. Et tâchez de faire un peu de ménage, ça ressemble à une morgue en grève, dans cette piaule.

ENFER

La somptueuse Rolls-Rosse (comme dit Béru) est stationnée devant l'hôtel. Chiang Li s'y est déjà installée et parcourt un magazine de mode. Son chauffeur attend, debout, adossé à l'aile arrière. Sympa : le garde du corps est chargé de me tuer, mais pour cette fille il s'agit d'une simple formalité. C'est de la basse besogne sans importance. Moi clamsé, le garde revient prendre son poste et tout continue de baigner pour cette nymphette au cœur infidèle ! Après avoir été vergée de si péremptoire façon, me faire zigouiller, voilà qui dénote une totale absence de charité chrétienne ! Je te répète : y a que chez certains animaux que tu trouves des mœurs pareilles ! On est un tantisoit impitoyable chez les Lamoon. Ils t'invitent à leur table, te sautent sur la bite, puis te font abattre comme on écrase un cafard dans une chambre d'hôtel somalien ! Merde, à la fin !

Je me pointe en catastrophe sur le chauffeur qui ne m'a pas vu arriver. Je tiens le pistolet du gorille défunt roulé façon cornet de frites géant dans un exemplaire du *Figaro* qu'on m'a gracieusement offert dans l'avion.

Je lui mets la partie large du cornet sous le nez (qu'il a presque aussi large d'ailleurs !).

— Prends ta place au volant et démarre ou je tue la fille !

Mon ton, mon regard le convainquent. Et le pistolet, donc ! Ça, quand t'as des idées à imposer, c'est préférable à tous les discours.

Chiang Li a relevé la tête. Les Jaunes ne pâlissent presque pas, leurs yeux ne se cernent pas, leur calme n'est pas entamé, cependant sa stupeur est évidente.

Je prends place à son côté.

— Roule ! enjoins-je au chauffeur.

Il démarre.

— Où ? demande-t-il.

— Funiculaire ! Ne tente rien d'imbécile sinon tu te retrouveras sans emploi, ayant perdu ta patronne à la fleur de l'âge.

Chiang Li a récupéré. Elle reste adossée à sa banquette, les avant-bras posés sur les accoudoirs.

— Vous chercherez un autre garde du corps, princesse, avertis-je, le vôtre est décédé d'un traumatisme crânien.

Je lui découvre l'arme.

— Il m'a légué ce souvenir avant de trépasser.

La Rolls Corniche louvoie à travers le flot. Nous franchissons un pont et abordons des espaces verts bien peignés. Tout ça est si vert, si fleuri, si avenant ! Pasteurisé.

— Je n'apprécie pas vos méthodes, murmuré-je. J'ai voulu jouer franc-jeu avec vous et votre père, et ma récompense c'est la visite d'un tueur ! Ma prestation de tout à l'heure ne vous a donc pas plu ?

Elle murmure :

— Je ne sais pas quelles sont vos intentions, mais

je ne pense pas que vous puissiez faire grand-chose ici.

— Si : je peux presser cette détente et vous expédier quelques balles dans le corps.

— Et après ?

— Après, comme je suis bon tireur, vous serez morte.

— Et après ?

Je ne réponds pas. Ce qu'elle veut, c'est me démontrer l'inanité de ma tentative. C'est vrai que, dans ce minuscule Etat, je suis coincé. Déjà, en braquant la fille du *king,* j'ai signé mon arrêt de mort ! Mon réflexe est dérisoire. Kong Kôm Lamoon étend son contrôle sur toute cette partie de l'Asie. Il donne un ordre et c'est comme si je n'existais plus !

Mais tu as déjà entendu causer (ne serait-ce que par moi) de mon fameux instinct. Pas exactement un instinct, disons des intuitions. L'intuition c'est quand tu fais ou dis des choses qui te paraissent injustifiées, mais que les circonstances rendent évidentes. Tu parles ou agis sans comprendre, mû par un élan très intérieur, pas discernable à première vue.

— Après, ricané-je, le « Singe Blanc » fera le reste.

Commako ! A la flan ! A la gomme ! Au débotté !

— Pourquoi parlez-vous du « Singe Blanc » ?

— Devinez ?

Chat et souris. Après avoir joué à la chatte et au chibre.

M'est avis que je viens de virguler un paveton dans l'eau trouble de sa belle âme, comme j'ai lu y a pas longtemps dans un beau livre à colorier de Jean-François Revel. Le « Singe Blanc ». Ça fulgure dans mes circonvolutions encéphaliques. Touché ! Kif la bataille navale ! Un destroyer, je viens de lui niquer, à cette fée du prose. Ou un dragueur de mines.

« Le Singe Blanc ». Je sentais bien que ça coinçait avec le *king*. Le fourbi détecté par Fluvio, c'était ça. Des circonstances l'ont induit à découvrir (probablement sans les chercher) des choses néfastes pour Lamoon. Il s'apprêtait à les utiliser... Attends ! Bouge plus, je sens que ça vient ! Bonté divine ! Je regroupe de la gamberge, les mecs ! Ça devient vistavisique dans mon caberluche. Une certitude. La « chose » (pour préciser !) que détenait Fluvio, la chose capitale, c'est cette bande enregistrée qui m'a été chouravée dans ma tire en même temps que le magnéto. Or, suis bien mon raisonnement irradiant : si cette bande avait une importance capitale, pourquoi Daniel la trimbalait-il dans le coffiot de sa poubelle au lieu de la placer en lieu sûr ? Hmm ? Réponse : parce qu'il en avait besoin le jour de son assassinat. Et pourquoi en avait-il besoin ? Hmmm ? Réponse : pour la faire écouter, voire la remettre, ou en menacer Sonia Wesmüler à qui il avait fixé rendez-vous. Un rendez-vous donné sous la menace (la soirée du 28 janvier au cours de laquelle un « client » asiatique a eu la gueule démantelée à l'*Auberge des Chasseurs*). Il devait planquer le magnéto soigneusement et s'en est muni pour la circonstance.

C'est chouette d'assembler les pièces les plus confuses d'un puzzle. Les parties explicites vont toutes seules, mais les autres : les ciels, la mer, les frondaisons, tu parles ! Là, je marne en plein dans le goudron. Je viens de réunir une étendue d'asphalte. Pas commode.

Guilleret, je reprends :

— Vous êtes assurée que je suis perdu, quoi que

je fasse, ma belle. Et pourtant, c'est moi qui tiens le couteau par le manche !

Mutisme.

Je me penche sur elle :

— Parce que c'est moi qui possède un certain enregistrement concernant le « Singe Blanc ».

Pour la première fois, elle marque une réaction spontanée. Tourne vers moi son magnifique visage ensorceleur. Son regard est animé, ardent. Je crois y lire — mais peut-être me berluré-je ? —, une espèce de terreur.

— La bande se trouve à Paris, dans un coffre du laboratoire de police, ma chérie, c'est-à-dire hors de portée.

Que rajouter encore pour bien lui vinaigrer le tempérament ? Saloparde, va ! A quoi sert d'être aussi sublime quand on est cruelle ? Du coup, je cesse de l'admirer. Veux-tu que je te dise ? Elle me paraît laide. Hideuse de méchanceté. La bonté a une lumière, la méchanceté est un sombre cloaque.

On parvient à une station du funiculaire qui traverse une partie de la ville, je l'avais repérée sur mon guide.

— Ici ? demande le chauffeur.

J'avise un parking, les bagnoles y sont rangées Panurge. Comme l'esplanade est vaste, tout au bout il y a autant de place qu'on en veut.

— Allez vous garer là-bas, le plus loin possible.

Il s'exécute.

Nous voici seuls. J'ordonne au chauffeur de se mettre debout sur sa banquette, ce qui me permet de le palper sans quitter ma place. Bien entendu, il avait un feu sur lui. Un extra-plat de poche, guère plus volumineux qu'un étui à cigarettes en métal. Je fais passer l'arme de sa fouille dans la mienne.

— Pose un pied sur le dossier.

Il hésite, s'exécute. Je trouve un poignard malais fixé dans sa chaussette blanche par une gaine adhésive.

— Ils sont bien équipés, vos scouts, fais-je à Chiang Li, mais ça ne les rend pas plus courageux pour autant. Moi, à votre place, je changerais de personnel.

« L'autre pied, *please,* beau jeune homme ! » enjoins-je.

Il avait la paire, l'artiste, comme quoi ma prudence est payante. Posséder un pareil harnachement et rester docile parce qu'un quidam te montre un soufflant, voilà qui est d'un être timoré. Je l'aurais cru plus difficile dans le choix des gardes du corps de sa grande fille, Kong Kôm Lamoon !

— Maintenant, descendez de voiture et allez vous placer devant le capot, face à nous, les deux mains sur la jolie statuette d'or, car celle-ci est en or, je parierais ?

Le macaque continue d'obtempérer. Lorsqu'il est en position de l'autre côté du pare-brise, je reviens à la belle.

— La bande sonore dont je vous parle, ma jolie, a été repiquée en plusieurs exemplaires car il nous fallait la multiplier pour pouvoir la soumettre à différents services. D'abord la traduire ce qui, à Paris, n'était pas évident. Le dialecte qui y figure n'est pas courant en France. Heureusement que notre capitale est une pépinière de savants. Nous possédons, au Collège de France, d'éminents orientalistes.

Elle m'écoute d'un air lointain.

— Ces explications pour vous faire comprendre que le secret figurant sur ladite bande ne pourra le rester que s'il y a accord complet entre nous. Songez qu'une copie se trouve déjà à Singapour même, à l'ambassade de France. Elle est top secret, évidemment, mais c'est tout de même de la dynamite pour vous, non ?

Là, je tartine au culot. J'en rajoute, j'épanouis dans les délirades. Faudrait tout de même pas que je dépasse la ligne blanche, ça pourrait éveiller ses soupçons.

Je poursuis :

— Et vous qui vouliez me faire abattre ! Dans quelle situation vous alliez vous trouver !

Je ris. Jaune parce que, franchement, le cœur n'y est pas.

A propos de rire jaune, pourquoi Béru et Pinuche se sont-ils transformés en Chinetoques ? Dans l'effervescence de l'instant, je n'ai pas pensé à le leur demander.

Ils doivent bien avoir leurs raisons, non ?

Moi, toujours est-il que, malgré mes fanfarodomontades, je ne suis pas rassuré. Des gens comme les Lamoon, c'est pas un signe de longévité que de les défier. Peut-on espérer avoir barre sur eux ? Même s'ils ont un cadavre dans le placard et que tu possèdes la clé dudit placard, ils ne sont pas disposés à te servir une pension, histoire de t'amadouer. Un type comme Kong Kôm, y a longtemps qu'il ne se fringue plus au rayon garçonnets ! Ceux qui ont essayé de la lui mettre n'ont pas dû avoir l'opportunité de reboucher leur tube de vaseline !

— Première question, petite pute : comment Daniel Fluvio s'est-il procuré cette fameuse bande ?

Un indéfinissable sourire fleurit sa bouche sensuelle.

— Vous avez eu tort de m'appeler « pute », déclare-t-elle.

— Comment nomme-t-on, dans ce pays, les filles qui sautent sur les hommes et se font prendre à s'en faire éclater le trésor, *my darling?*

— Vous avez raté votre mort, déclare-t-elle.

— Comment cela ?

— En neutralisant mon messager, vous vous êtes privé d'une fin confortable. Il allait seulement vous loger deux balles dans la tête et une troisième au cœur. A présent, les choses se passeront moins bien pour vous.

— Amour, délices et orgues, ricané-je. L'amour, nous l'avons fait, et bien fait, m'a-t-il semblé ; les délices vont venir plus tard, selon votre promesse ; quand aux orgues, elles clôtureront les réjouissances.

Je me tais soudain, frappé par la promptitude d'un incident qui m'est peu profitable.

Deux voitures viennent de surgir sur le parking et foncent à tombeaux ouverts jusqu'à la Rolls. Des tires découvertes : une Jaguar et un cabriolet Mercedes.

Le temps que je considère le désastre et il est trop tard : je dérouille une piqûre dans l'omoplate droite. On m'a tiré une fléchette avec une sarbacane. L'as qui vient de réaliser l'exploit a encore le tuyau de bambou aux lèvres. Je sens une brusque paralysie me gagner. « Putain ! me dis-je sans prendre de gants, que souhaité-je ! Pardon : je pâteuse déjà de la matière grise, je voulais dire « quel sot étais-je » en croyant à l'inertie résignée du chauffeur. Tu parles que cette tire est équipée d'un signal d'alarme en relation avec une centrale. Le fumier l'a déclenché sans problème et j'y ai vu que du feu. Une fois branché, le signal en question fournit la position du véhicule. Bien joué ! C'était mieux avisé que d'entreprendre une guerre de tranchées contre moi, guerre dont Chiang Li pouvait avoir à pâtir ! Une balle perdue est si vite retrouvée dans la peau de quelqu'un.

Les deux tires survenantes nous encadrent. Quatre mecs en sautent qui se précipitent sur moi. Le chauffeur largue le capot où je l'avais confiné pour nous rejoindre. Il me lance un clin d'œil ironique. Genre : « Qu'est-ce qui l'a dans le cul, Lulu ? ».

Bien que je me trouve dans l'incapacité absolue de remuer un poil follet, ces messieurs ramènent mes bras dans mon dos et passent d'étranges menottes à mes poignets.

L'un des mecs prend place à l'avant près du conducteur, lequel, selon instructions, branche la capote de la Rolls Corniche ; après quoi il commande la montée des vitres teintées, puis l'arrivée de l'air conditionné. Conditionné, c'est ton pote Sana qui l'est ! A disposition. Impuissant (j'espère que ça ne se prolongera pas outre mesure, je déteste ce mot qu'on devrait bannir de la langue française).

Chiang Li me détronche langoureusement.

— C'est très impressionnant comme effet, assure-t-elle. Vous êtes transformé en une sorte de statue vivante. Tout est bloqué en vous, sauf votre esprit, n'est-ce pas ? Et vous disposez encore de certains de vos sens.

Elle ajoute :

— Je tenais beaucoup à Dug Kong, sa mort va vous coûter très cher.

Tétanisé !

Le nombre de fois que tu trouves ça dans la presse ou les polars.

Avant, je ricanais ! Eh bien, tu vois : c'est ça qui m'arrive. Pile !

Tétanisé. Le naufrage du tétanisé !

Bon, la situation est désespérée, mais c'est pas grave, comme dit Alexandre-Benoît. Un de mes bons potes toubib me répète que chaque jour nous avons des milliers d'occasions de mourir : le corps qui chenille. Et puis on passe à travers.

Comme je suis marmoréen de la cave au grenier, il ne m'est pas possible de piger où nous allons. Je sais seulement qu'on fend la circulance et qu'on baigne dans un flamboiement de lumières, c'est tout. Je ne ressens aucune douleur. Une bûche souffre-t-elle ? Eprouve-t-elle des sensations ? Même quand tu la flanques au milieu des flammes ?

La Rolls Corniche stoppe. Ses portières s'ouvrent. L'on doit rabattre les dossiers des sièges avant, puisque des mains me saisissent. Nous sommes dans les ténèbres. Juste le point rouge du poste de radio qui subsiste.

On m'extrait sans ménagements de la somptueuse guinde, en me halant par les tiges. Ma tronche heurte le sol sans que j'en ressente la moindre douleur. Je suis pris par les cannes et les rames. On me coltine.

De la luce. Une vive lumière. Des odeurs fortes. Tiens, c'est vrai, je suis cap' de renifler. De la musique niacouaise, lancinante, monocorde.

On gravit un escalier ; ensuite on longe un couloir, crois-je. On passe devant deux femmes dans des tuniques de soie fendues jusqu'aux hanches. Elles s'effacent pour nous laisser cortéger. Des gueules peinturlurées. Cauchemar.

On oblique à angle droit. Et puis me balance sur une natte. Toujours dans l'indolorance.

Je gis la face contre le sol. Impossible, autrement que par les bruits, de réaliser où je suis. Au brouhaha piailleur, je conçois que je me trouve dans une assez vaste pièce où sont rassemblées plusieurs personnes. Des femmes, surtout ; quoique les bonshommes de par ici ont des voix d'eunuques qui peuvent prêter à confusion.

Ça glapit que j'en ai des vertiges. A moins que ce ne soit la drogue paralysante qui me perturbe également le ciboulard ?

Je voudrais, au point où j'en suis, m'évanouir carrément, larguer la sombre réalité, m'abstraire ; mais je suis lucide à bloc. Enervé du bulbe comme lorsque tu as éclusé trop de caoua et qu'ensuite tu restes quarante-huit plombes sans pouvoir fermer l'œil.

A un moment donné, deux mains me font pivoter. Celles d'une grosse rombiasse chinoise qui a une tronche de lanterne en papier. Elle m'examine. Dit quelque chose à quelqu'un que je n'aperçois pas, mais mon olfactif infaillible me révèle Chiang Li. Les deux bougresses doivent parler de moi. La grosse à frite de bordelière hèle une troisième personne. Je vois entrer dans mon champ de vision un petit vieillard qui ressemble à un ouistiti naturalisé. C'est fou ce qu'il y a comme fossiles dans ce patelin. La peau sur les os, rien sur les dents et des lotos qui débordent. Pas joyce à contempler : la mort, sa préfiguration en tout cas. T'ajoutes une longue barbiche blanche, étroite comme s'il s'était collé trois porcifs de papier torche-cul au menton. Des cages à miel pareilles à des anses de corbeille. Il porte un complet noir étriqué qui achève de le foutriquer. Il tient une caissette laquée rouge pourvue d'une manette, l'ouvre. En sort un matériel d'acupuncteur, me semble-t-il. C'est un praticien, dirait-on.

Le voilà qui m'entreprend, se met à me virguler ses aiguilles un peu partout. Je continue de ne rien éprouver. En bois, l'Antonio ! Le gus poursuit son manège.

Et soudain, comme il me fiche dans le lard son ultime fléchette, je ressens une décharge de 110 volts dans le corps. Le *big* soubresaut ! Mon sensoriel est à nouveau connecté. Je peux remuer. Tourner la tête.

Ce que je découvre autour de moi est assez bizarre pour sembler surprenant : un vaste salon tendu de soie verte, avec des motifs de bois doré. Des divans le long des murs. Au centre, un lit spécial, plutôt une large banquette de cuir noir, basse.

Un homme basané, genre indien, est attaché dessus et compose une croix de Saint-André car chacun de ses pieds, chacune de ses mains sont fixés à un pied de la banquette.

Des filles en tuniques fendues sont sagement assises sur les canapés et regardent. Un second acupuncteur, moins délabré et parcheminé que celui qui vient de me restituer la mobilité, s'active sur ses centres nerveux. Il est appliqué. Porte des lunettes cerclées d'or qui l'intellectualisent. Il fait interne des hôpitaux.

Les femmes présentes ont cessé de jacasser. Rassurée sur mon sort, la gonzesse à frime de lanterne chinoise me délaisse pour aller s'agenouiller auprès du « patient » entravé. Je cherche du regard la somptueuse Chiang Li. Elle est accroupie derrière moi. Voyant que je la regarde, elle me sourit avec une fausse bienveillance qui ne me dit rien qui vaille.

— Vous avez récupéré ?

— Je dois ressembler à un porc-épic ? plaisantéje.

Comme avec moi le calembour ne perd jamais ses droits d'auteur, j'ajoute :

— C'est ce qui s'appelle « faire sa pelote ».

Ça ne peut pas l'amuser car elle ne comprend pas le français !

Mais qu'arrive-t-il à l'Hindou ligoté ? Tu veux que je te dise ? l'Hindou se tend ! C'est farce, hein ? Figure-toi qu'il est en train de s'attraper une chopine carabinée, le basané ! Un membre actif long comme mon avant-bras et du diamètre de mon poignet. Le tout faramineux turlu, ma belle ! Du chibre de Cosaque ! Un produc de films « X » le met sous contrat dare-dare, en apercevant un mandrin de ce tonnage !

Satisfait, l'acupuncteur à besicles s'éloigne de la banquette. Les aiguilles sont restées plantées dans la géographie du gus. La tarderie à bouille de lune tapote la verge dressé. Le chibre reste droit comme une antenne radio. Qu'à peine la flatterie de Madame lui a imprimé une fugace dodelinance. Au contraire, dirais-je, elle paraît avoir conforté l'apothéose de l'outil.

Alors la meneuse de jeu se tourne vers les demoiselles réunies autour du prodige et désigne l'une d'elles.

La fille quitte sa place et s'approche de la banquette. Elle a une courbette devant le paf en érection, comme pour saluer, rendre hommage à cette trique très superbissimo. N'après quoi, elle se détunique en un tourne-cul. La voici presque nue, juste elle a conservé sa petite culotte blanche. Se place à califourchon sur l'Hindou, dos à lui, l'enjambe. Confucius soit loué ! La culotte est fendue d'une oreille à l'autre ! Ah ! l'étrange égorgement que voilà.

La demoiselle (dont je redoute une hypothétique virginité, compte tenu de l'engin qu'elle veut s'octroyer) tâche à opérer un périlleux ravitaillement en vol. La jonction crée l'orgasme ! Las, ce qui était à redouter se produit : le pafozoff hindou n'est pas en harmonie avec le frifri pékinois qui prétend l'absorber. Ce que voyant, Madame (sœur du roi) intervient avec une boîte d'onguent dont elle oint dûment la colonne du mec. Nouvel essai de la pauvrette ; nouvel échec. La « lanterne chinetoque » remplace alors son étroite pensionnaire par une seconde qu'elle espère davantage modulable.

— Intéressant, non ? me fait Chiang Li.

— Très, admets-je. Je n'ai qu'un seul regret : ne pas disposer d'une caméra afin de fixer cette opération pour le plus grand bonheur des populations hardantes.

— Vous savez ce qui se passera, lorsque l'homme aura livré sa semence ?

— Dites-le ! Vous brûlez de me le révéler !

— C'est vous qui prendrez sa place !

— Belle princesse, vous me faites grand honneur, mais n'oubliez pas que j'ai déjà donné.

— Notre technicien vous fera renouer avec la vigueur. Au reste, vous ne devez pas être très regardant sur ce chapitre, si j'en crois vos récentes prestations.

Pendant qu'on devisait chemin faisant, la seconde nana, mieux conditionnée, est parvenue à s'enquiller le minaret du julot. Oh ! pas totalement, elle n'en est qu'au tiers ; mais sa farouche volonté, son application, la vaseline dont le mâle est enduit sont autant d'éléments qui font bien augurer de la finalité de la chose.

Fectivement, la Miss Jaunisse dévale le thermomètre à moustache de l'Hindou. Elle grimace un peu, s'évertue avec la lenteur de la tortue si bien décrite par Jeannot, pèse des meules, pas-de-visse du fouinozoff et finit par aboutir.

Les donzelles saluent l'exploit par un concert de cris de liesse. Dopée, la vaillante entreprend d'exploiter sa victoire. Une gigue lente commence.

Les Chinoises, une chose que tu ne peux pas leur enlever (après leur culotte), c'est leur grâce. Cette danse du scalp sur chauve à col roulé, tu sais que c'est vachètement superbe ? Elle joue des bras, faisant la danseuse thaïlandaise, sauf qu'elle n'a pas des pelles à feu de vingt centimètres comme les gerces de Bangkok ; ses gratte-miches sont de dimensions courantes. Un mouvement ondulatoire du ventre, du cou, des épaules crée la magie.

L'Hindou, ça lui trépane les glandes, ce manège. Lui, le *Kama-sutra,* il l'a lu à l'école primaire, mais ce qu'on lui manigance là le hisse vers des sommets insoupçonnés. Il commence à rauquer du gosier : sa glotte qui lui tyrole les sens, à Brâkmondhar. C'est trop intense. Il va pas pouvoir tenir tout le rallye comme ça. Sûr qu'il déjantera au prochain virage ! Elle l'essore trop dans l'impétueux, Cunégonde, sans se soucier de la surchauffe. Sa tête de nœud est mise à prix, au brahmane brameur. Il crispe les mâchoires, ferme les yeux, fouisse des narines, mais quand faut y aller, faut y aller, Bébé ! Le voilà qui floconne à s'en fissurer le sacrum. Il débourre du fusil lance-harpon. Juste un glapissement pareil à un cri de malheur : suraigu !

Elle désuife de partout, la cavalière. Dans cette

posture, ça débâcle nécessairement ! L'amazone pique des deux afin de lui enlever le copeau brillamment. Ses potesses lui lancent des encouragements.

A cet instant, il y a brouhaha en coulisse. La porte s'ouvre après qu'on y eût brièvement toqué. Un malabar malais s'inscrit dans l'encadrement. Baraqué champion : haut de deux mètres zéro cinq, une moustache noire d'encre pareille à une chaglatte d'épicière turque, coiffé d'un turban. Il déclare quelque chose à la matrone. Celle-ci répond brièvement. Le gars se retire, mais il va reviendre bientôt puisqu'il laisse la porte ouverte.

C'est le moment où la chevaucheuse d'élite saute à bas de sa monture et s'enfuit vers des bidets de grand pardon en trottinant menu, cuisses serrées : soldats, droit au cul, mais épargnez la moquette ! L'Hindou demeure inerte, avec ses aiguilles disséminées dans la viande. Son mât de misaine se fait soudain roseau penchant.

Et bon, je reviens à la porte qu'on ouvre grand. Ils sont quatre : le garde moustachu plus deux autres garçonnets de son calibre qui maîtrisent un énorme Chinois qui n'est autre que Bérurier. Te dire l'effarement du valeureux commissaire ! Béru ! Mais qu'est-il venu foutre ici ? Et comment diantre a-t-il retrouvé ma trace, et si rapidos ?

Chiang Li réclame des explications aux gardiens. Je ne pige pas la réponse car on n'étudie pas le cantonais non plus que le mandarin, le sanscrit ou le malais à l'école communale de Saint-Chef, et c'est très évidemment l'un de ces quatre patois qui est présentement utilisé.

A la fin, elle me demande :

— Vous connaissez cet homme ?

— Pas le moins du monde ! menté-je.

Œuf corse, elle ne me croit pas, mais se réserve de pousser ultérieurement l'entretien, car l'un des trois mercenaires vient lui chuchoter quelque chose dans l'esgourde.

Elle demande :

— Qu'avez-vous fait du cadavre de mon garde du corps ?

— Je l'ai laissé à l'hôtel.

— C'est faux : il n'y est plus !

— Alors c'est que son âme est montée au paradis avec son enveloppe charnelle, plaisanté-je cyniquement.

Je viens de piger pourquoi le Gravos est là. Chiang Li a dépêché des messagers au *Dragon Palace* pour y récupérer la carcasse de son zébu. Ils ne l'ont pas trouvée dans ma piaule parce que, suivant mes directives, Béru et Pinuche avaient déjà « fait le ménage ». Leur venue n'est pas passée inaperçue de mon tandem d'or et le Mastar les a suivis. Seulement, ce sont des gonziers un peu marles et ils ont vite retapissé Bébé-lune. Du coup, le guetteur est devenu proie.

Je suis satisfait car j'aime bien comprendre.

Le Mammouth a dû regimber et se faire bastonner dûrement car il est couvert de ce qu'il appelle des « esquimoses ». Les deux lampions dans les teintes violaces, du raisin qui dégouline de son pif sur ses fringues, une manche arrachée, à demi essorillée (Van Gogh qui aurait fait philippine), une bosse en cours de gonflage sur le front ; drôlement touché, le pauvre Gros.

Il a dû entendre que je niais le connaître car il ne m'adresse pas le moindre signe d'intelligence (d'ailleurs, le pourrait-il ?). Il visionne les lieux, aperçoit l'Hindou avec sa bitoune en dodelinance et défoutraison, et grommelle :

— C'est l'orgie romaine, on dirait ! La grande partouze av'c toute la troupe au final !

La dame bordelière lance un ordre à nouveau. C'est décidément elle, la grande prêtresse des réjouisseries. Le petit acupuncteur vient récupérer ses aiguilles et les remet dans sa boîte de laque noire après les avoir stérilisées en les essuyant sur sa manche. Ensuite, deux valets délient le récent découillé, non pas de son serment, mais de ses sangles.

La taulière se rend alors dans un angle de la pièce et soulève une trappe astucieusement camouflée : elle est recouverte d'un tapis à ses dimensions, que l'on a encollé dessus.

— Venez voir ce qui vous attend ! me dit Chiang Li.

Je me redresse, embarde un brin, biscotte mes fumerons sont encore branlants, et la suis jusqu'à la trappe.

La grognasse à gueule de lampion s'agenouille et bricole je ne sais quoi à l'intérieur du trou. Aussitôt un bruit de moteur se fait entendre.

— Penchez-vous ! m'enjoint Chiang Li.

A un mètre au-dessous de moi, j'aperçois des pales groupées sur un large essieu, et aussi des rouages, le tout fonctionnant dans un bac de métal en forme d'entonnoir.

La bordelière adresse un signe. Quelqu'un branche une musique indonésienne à base de cloches et autres instruments à percussion d'une énorme résonance. Le vacarme devient insoutenable car ils ont monté le niveau au max.

Nouvelles directives : les valets s'emparent de

l'Hindou, lui lient pieds et jambes pour en faire un sauciflard humain et appliquent sur son museau un large bâillon adhésif.

J'ai déjà pigé. Mes poils se hérissent comme ceux de ta brosse à dents.

Effectivement, ils tiennent le malheureux à la verticale et l'enquillent par la trappe. Malgré la musique cacophonique et tympanicide, on perçoit les hurlements fous du supplicié. Ses pattounes sont happées, broyées. Les aides-bourreaux continuent de le maintenir malgré ses contorsions désespérées. Le corps du pauvre gars continue de s'enfoncer progressivement. Instant démentiel !

Cette Chiang Li est folle à lier ! Et sa cour autant qu'elle ! Comment une aussi belle fille peut-elle atteindre pareil degré de dépravation ?

Ces demoiselles, gourmandes, font cercle et regardent broyer l'éjaculeur. Pour ma part, je défaille, vision insoutenable. L'homme est réduit de moitié, la broyeuse lui attaque maintenant le bassin. Il est déjà mort. Je recule et m'effondre sur un canapé.

Une main charitable stoppe la musique devenue superflue puisque l'Hindou ne peut plus crier. On perçoit juste le ronron inexorable du moteur et le bruit hideux du broyeur malaxant, disloquant les chairs.

— Béru, balbutié-je, nous sommes en enfer !

ACTION

Même quand il est en enfer, Bérurier garde bonne figure (de con). Rien ne le terrasse (de bistrot). Il conserve toujours un espoir insensé, une confiance inexorable. Parfois, je l'étudie et j'éprouve un certain réconfort en songeant que la mort doit être ainsi : soutenue par l'espérance. Qu'il existe, coûte que coûte, un *no man's land* où la cruauté, la souffrance et l'horreur font relâche, et où l'homme, même en criant de douleur, se sent pénétré par une prodigieuse acceptation qui lui permet de *tout* subir. Je sens qu'à l'instant, le pauvre Hindou, au plus fort de l'abomination, sentant son corps déchiqueté menu, avait le sentiment de bientôt échapper à son sort atroce, la certitude qu'il allait sortir intact de l'indicible souffrance qu'on lui infligeait. Je sais qu'il est mort confiant. Trop de douleur doit engendrer l'anesthésie. Il faut franchir la barbare frontière du paroxysme pour s'affranchir enfin des misères humaines. L'intensité débouche sur le salut, c'est la suprême clémence.

Chiang Li me parle. Que dit-elle ? Je dois produire un effort de concentration pour l'entendre.

Elle me donne cyniquement des explications techniques. Elle déclare :

— Les déchets, en quittant le broyeur, passent par un bac empli d'une solution d'acide qui les dissout et le tout s'en va dans des canalisations jusqu'aux égouts, de la sorte, l'homme est totalement anéanti.

Pourquoi m'initie-t-elle ? Pour que je conçoive bien ma proche disparition ? Barbarie infinie ! Elle veut que je crève de peur avant de me faire périr !

Et moi, en l'écoutant, en l'examinant, je gamberge puissamment. Je lis la farouche détermination sur cette face gracieuse. La madone chinoise est une femme de tête. Il y a sûrement maldonne à propos de ce personnage ambigu. Elle passe pour une fille à papa dévergondée, une nana chaude du réchaud (ce qui est vrai) et qui, ce faisant, cause des inquiétudes à son forban de père ; mais en réalité c'est un être cuirassé et inexorable. Je suis convaincu à présent, que cette réputation de légèreté la sert, qu'elle l'entretient sciemment pour dissimuler derrière un masque frivole un tempérament de criminelle endurcie. De l'extérieur, elle paraît futile, baiseuse en continuelle surchauffe. Futiles aussi : son club, la piscaille, les copains désœuvrés, les parties, les cocktails, la pointe mondaine. De l'intérieur c'est différent : sadique, criminelle, calculatrice. Le reste ! Un spécimen unique.

Mister Kong Kôm Lamoon sait-il ce qu'est sa grande fifille, en réalité ? Que non pas. A midi, pendant le déjeuner singulier, elle se tenait à l'écart, effacée et soumise, pénétrée de respect. En fait, elle décortiquait la situation, combinait des loucheries. Pourquoi ? Ça, c'est une bonne question à cent dollars, Edouard.

— Puisque vous jouez les cicérones, lui fais-je, vous pouvez m'expliquer où nous sommes, douce Chiang Li ?

— Que pensez-vous ?

— Un bordel, bien sûr, réponds-je d'un ton léger. Ces filles folles de leur corps, cette mère maquerelle pittoresque, ces eunuques de service sont très révélateurs.

Elle fait la moue.

— Le terme est un peu facile. Ici, monsieur, vous êtes dans mon royaume à moi. Je décide de tout, comme vous l'avez vu. Tous les gens qui m'entourent me sont soumis jusqu'à la mort et exécutent mes moindres désirs.

— Vous êtes bien jeune et bien belle pour détenir un tel pouvoir !

— Ce n'est pas une question d'âge. Ma puissance sera bientôt sans limites.

— Monsieur votre père est au courant de la chose ?

Elle a les traits qui se crispent légèrement ; visiblement, ma question lui déplaît.

— Que vous importe ? fait-elle.

Et ma pomme, en père turbable, comme dit le Mastar :

— Mon intime conviction est que cette principauté dont vous parlez est en marge de son propre empire, ma belle. Il vous prend pour ce que vous n'êtes pas. En focalisant ses tourments paternels sur vos frasques de femelle, vous lui cachez l'essentiel. Je me demande même...

— Que vous demandez-vous ?

— Si, quelque part, vous ne lui faites pas concurrence. Vous êtes blottie dans son ombre, c'est une planque idéale pour tirer de mystérieuses ficelles.

En poussant le raisonnement et l'intuition jusqu'à leurs limites extrêmes, je me dis que si l'honorable Mister Lamoon a un ennemi déterminé, c'est vous !

Putain ! Là, elle marque le coup. Devient vilaine de rage. Je l'ai démasquée et le lui révèle sans emphase. Dur dur pour cette amazone du mal de se sentir percée à jour par un petit flic d'Europe.

— Il est grand temps que vous disparaissiez, dit-elle.

— Merci.

Son sourcil gauche, si délicat (l'autre l'est aussi) se met en point d'interrogation.

J'explique :

— Vous venez d'avouer, par cette réflexion, que j'ai visé juste.

A cet instant, comme il faut toujours l'écrire dans les livres d'action où les coups de théâtre doivent être aussi fournis que les coups de bite ou de pistolet, la maquerelle lance une exclamation qui, pour être proférée en chinois, n'en est pas moins virulente.

On cesse de converser, Chiang Li et moi. La pétasse jaune désigne Bérurier. On vient d'ôter le pantalon de ce gros lardu, et sa phénoménale bitoune se balance à l'air libre dans toute sa gloire rubiconde.

Les gonzesses de la coterie en éperdent des yeux et de la corde vocale. Battu à plate couture, feu l'Hindou, avec sa biroute confortable mais qui se situe dans les normes tolérées. Là, c'est plus que de l'exceptionnel ! Une anomalie de la nature ! De la pièce pour musée de l'Homme ! Un caprice fou de l'espèce humaine ! Et rends-toi compte, vicomte, ce qu'elle peut effarer des Asiatiques membrés sapajou, voire canari.

La rumeur cesse pour faire place au grand silence recueilli qui souligne la gravité d'un événement.

Les regards se tournent vers Chiang Li. On attend la réaction de la princesse.

Elle incrédulise à son tour. Je crois savoir que, naguère, mon paf l'avait décontenancée par sa prestance, mais il est évident qu'avec le Mastar, elle tient le clou (de charpentier) de sa collection !

Elle me file un coup de saveur en chanfrein.

Je lui vote un sourire de fierté, car cette pine de cheval française constitue, à l'étranger, une gloire tricolore dont j'ai à m'honorer.

— Pas commun, hein ? murmuré-je. J'aime mieux prévenir que pas une femme, dans cette pièce, est en mesure d'engouffrer un sexe de ce tonnage ! Vaseline ou pas ! Acupuncture ou non.

Il est étrange de considérer ce Chinois dont le ventre, le cul et les cuisses sont rose goret alors que le reste de sa personne est jaune.

Chiang Li, hypnotisée par la chose, s'avance vers Bérurier. Sa main délicate se saisit de la prestigieuse trompe. Tu croirais qu'elle va faire le plein d'essence de sa tire à une station self-service, Mlle Miss.

Le Gravos, nonobstant le critique de sa position, une jolie fille lui chope Popaul, illico il flamberge du goume, l'artiste ! L'assistance retient son souffle en découvrant l'apothéose. Ces dames se demandent où cela va s'arrêter ! Est-il possible que l'engin se développe encore, croisse, continue de se donner naissance, d'auto-proliférer ?

Quand enfin l'épanouissement est total, Chiang Li recule pour une vue d'ensemble. Mister Queue-d'âne, sûr de son effet, goguenarde sous son fard. Le super-braque dodeline lentement comme un mât dans la bise.

— L'essuyer c'est la doper ! il annonce. Qui est-ce-t-il de ces belles dames veut essayer un p'tit canter sur c't'appareil à faire grimper les œufs en neige ? Bousculez-vous pas, y en aura pour tout le monde.

Comme il jacte en français, onc ne pige.

Chiang Li lance un ordre. Les hommes de main entraînent le Mammouth jusqu'à la banquette de cuir pour l'y entraver. Mais Sa Majesté parlemente :

— Dis-y qu'y m'frein'ront les fougues s'ils m'atta-ch'reraient. Pour bien emplâtrer ces frangines, faut qu'y aye mon aisance d' mouv'ment, é doivent piger ça av'c leurs petites tronches d' perruches.

Docile, je fais part de l'objection à Chiang Li, laquelle acquiesce, consciente de son bien-fondé.

On laisse donc à Divan-le-Terrible la possibilité de loncher à sa convenance, sauf que les gardes, vigilants, lui passent un nœud coulant au cou et tiennent la corde à distance, prêts à faire couic si le phénomène récalcitrait.

— La confiance règne ! ricane l'Enflure, nullement affecté par cette précaution.

Il tapote gaillardement son mandrin par-dessous, le rendre plus plaisant.

— Alors, médèmes, coquette s'impatiente, tonitrue-t-il. V' savez : les bites et les soufflés, si on les laisse quimper, on finit par les r'trouver à fond d'cale.

J'exprime l'impatience du mâle à Chiang Li. Elle prend à cette scène un plaisir extrême, la môme dépravée, viceloque comme elle est !

— Qu'il choisisse lui-même sa première partenaire ! répond-t-elle.

Je fais part de cette pseudo-magnanimité au Gros.

— A toi de prendre celle qui t'inspire, mec !

Sa Majesté ne barguigne pas.

— J' vas démarrer par la vieille, décide-t-il. J'lu présume un pot d'échapp'ment mieux apte que les autres à l'enfilade. Elle a des heures d' vol et j' parille qu'elle a dû tâter du mataf ricain dans ses débuts. Y s' s'ra bien trouvé un négro chibré seigneur pour lui écarquiller la moniche et la rend' fréquentable !

Je translète.

En se sachant élue, la lanterne chinoise s'élargit de pré-plaisir. Son honneur est en cause. Elle s'approche de messire le halebardier, caresse le vif du sujet, tente d'en apprécier le diamètre en l'encerclant de son pouce et de son index, mais sa petite main potelée est insuffisante. Elle ne peut retenir une grimace d'appréhension car la séance risque d'être rude ! Le supplice du paf en l'occurrence prime celui du pal. Mémère se fait remettre sa petite boîte d'onguent magique.

C'est une technicienne avertie. Côté lubrification, elle en connaît un rayon. Elle oint d'abord Béru, avec une lenteur appliquée, du casque aux roulettes. Puis elle retrousse sa tunique et s'applique une solide ration à elle-même, urbi et orbi, soucieuse de ne rien laisser sans protection. Elle fait signe au Mastar de se coucher sur le dos. C'est décidément la position clé de ces personnes. Faut admettre qu'elle est plus spectaculaire et que les assistants peuvent mieux suivre la réalisation de cette redoutable imbrication.

Le braque du seigneur de Saint-Locdu se tient dressé sur ses pattes de derrière.

La vioque a de l'assiette. Elle sait tout des astuces de ce genre de pratique. Ne se place pas dans une verticalité trop rigide, mais avance les genoux pour laisser son postère plus souple. Il faut que cela s'accomplisse dans un mouvement télescopique de guidon de compétition. L'assistance retient son souffle. La grosse lanterne tortille un peu du bagouzeur pour chercher son aire de lancement et assurer sa prise. Puis elle plonge résolument en passant une main par derrière afin de guider la bilboquance.

Mais, illico, on pige que c'est raté d'avance. Elle aura beau s'exorbiter du mille-feuille, elle arrivera à que tchi ! Tu ne peux pas faire passer un chat par un trou de souris, sinon il n'y aurait plus de souris. La vioque tente des manœuvres désespérées, sue de tous ses pores laqués, ouichtre ! Elle a l'escalope impénétrable. C'est le rocher de Gibraltar ! Elle inexpugne du barbu, la Carabosse. Peines perdues. Elle doit avouer vaincuse. Rengracier.

Perdre la fesse devant ses nanas ! C'est terrible pour une cheftaine de devoir renoncer. Son forfait peut avoir des conséquences. Tu respectes une sous-macté incapable de s'embusquer un mandrin dans la moniche, toi ? Sa carrière prend de la gîte ! son prestige part à dache. Je sens qu'elle peut se payer une funeste déprime, mémé, et s'attenter aux jours pour pas survivre au déshonneur.

— Ben quoi ! ironise Alexandre-Benoît, Madame quitte la compétition ? Madame a peur d' se déchirer le greffier ? A n's'est farci que du sous-lieut'nant chinetoque en cours d' carrière. J' lui voiliait une babasse plus performeuse. Ah ! dis donc, quand j' la compare à Madame Lila qui t'nait l' clandé d' Mézytous, près d' chez nous ! Y avait qu'la porte d' la cathédrale qu'était plus large ! Les soirées d' fiesta, é se carrait un magnume de champ' dans la case trésor. Chaque fois, elle pareriait av'c les clilles qu'étaient pas au courant d' son entresol, et elle gagnait l' magnume à tout coup ! Bon, puisqu'elle est encore vierge, la taulière, j' vais essayer la belle pinupe dont à laquelle tu causes, Tonio. Quéqu-'chose me dit, à voir son r'gard salingue, que ça va t'êt' plus goulayant av'c elle, d'alieurs si toi tu te l'ayes respiré c'est qu'elle est sur la bonne route.

— Il vous invite à la prochaine danse, fais-je à Chiang Li.

La môme acquiesce sans hésiter :

— D'accord !

Et la voilà qui se dévêt en un tourne tu sais quoi ? Oui : main. Comment as-tu deviné ?

Pour elle, pas question de se beurrer la piste de bob. C'est une haletière, une vraie amazone du radada !

— J'ai besoin d'être survoltée, me dit-elle. Alors je vous prie de me pardonner, mais pendant cette séance, vous passerez par la trappe. La musique d'accompagnement, ainsi que l'intensité du spectacle, me transcenderont.

Elle passe commande de mon exécution.

C'est fou ce qu'ils sont dociles, tous ces gens : des esclaves ! Des zombies ! La trappe est soulevée.

— Je te dis adieu, Gros, balbutié-je. Mon tour est venu de passer à la moulinette. Je crois que tu as eu tort de vouloir être du voyage car tu y passeras également après ton exploit, à moins que ces gueuses te conservent comme maître étalon.

Les aides m'emparent. La vieille lanterne est toute joyce de déclencher le moteur ainsi que la musique javanaise. Les carillons nous massacrent à nouveau les tympans, le cerveau, les nerfs...

Au bout de combien de temps d'horreur vais-je calancher ?

Chiang Li a un sourire indicible de délectation

complète. Elle file droit au but. D'une main énergique, se saisit du gouvernail de profondeur béruréen. Par ici la bonne soupe ! Comment peut-il encore goder, le taureau normand, alors que son meilleur aminche va être déguisé en canigou de luxe !

Les aides me tiennent avec une telle force que je suis incapable de me débattre. Faut admettre qu'ils ont acquis la technique. Quelque chose me dit qu'il en est passé, des julots, par cette trappe à malice !

— Stoooooop !

Le hurlement de centaure, de stentor, de centurion, de stégosaure et de tout ce que tu voudras bien rajouter (dans mes polars c'est entrée libre ; on peut gribouiller dessus, faire des petits bateaux de papier avec les pages, s'en torcher l'oignon, les utiliser pour équilibrer les tables bancales, je m'en fous au-delà du possible).

C'est Sa Majesté qui vient de crier.

Et pour lors, je ne serais pas un vrai romancier qui touche des droits de hauteur et paie des impôts exorbitants dessus si je ne te décrivais ce qui vient de se produire. D'autant plus que c'est kif la tronche à Danton : ça en vaut la peine !

Le Gravos vient d'exécuter une manœuvre féerique, moi je trouve. Quelque chose de prédominant, de spacieux, d'aphrodisiaque, de vertébral, j'oserais ajouter. Quelque chose qui mythifie, qui scinde, mercerise, fourraille, ensache, gratticule, fristique, gobichonne, madrigalise, lotionne, romanise, intube, déchevêtre, frigorifuge, lapidifie, oringue, pajote, épontille, dépingle, axiomatise, étançonne, vassalise, trimarde, zinzinule, rudente, néantise et même, même — là tu vas me trouver culotté, aussi te supplié-je de le garder pour toi — : entaque ! C'est te dire !

La manœuvre du Mastoche est la suivante. En cours d'ébats, il s'est débrouillé pour que la corde qui le strangule gentiment prenne un peu de mou, puis, mine de rien, il l'a saisie entre ses dents, et alors, avec une promptitude démoniaque, il a noué ses deux énormes paluches au cou de Chiang Li, s'est rejeté en arrière de manière à ne plus être menacé dans ses endosses et, malgré ses ratiches crispées sur la corde, a hurlé son fracassant « Stop ! ».

Stupeur générale.

Le gardien qui le tenait en laisse tire à fond sur le lien de chanvre, mais le Gravos lui oppose une contre-traction avec sa mâchoire d'airain. Il serre si fortement le kiki de la belle Chinoise qu'elle se met à exorbiter et à sortir une menteuse de douze centimètres.

Je pige qu'il m'appartient d'intervenir, le Fabuleux se trouvant dans l'incapacité de faire un plus long discours que ce « Stooooop ! », éloquent, certes, mais qui ne nécessite pas un phrasé particulier.

— Si vous ne me lâchez pas, fais-je, il tue Chiang Li comme une chienne. Voyez, elle va entrer en agonie ! Il a une force inouïe, cet homme. Pas surprenant avec un pénis pareil !

Les gonziers, qui s'apprêtaient à me mouliner, me désaisissent.

Pouf ! Premier point d'acquis. Mais à présent ? Comment tirer parti de ce renversement de situation ? Notre position reste d'une précarité folle.

C'est compter sans le Mastar, ses initiatives, sa force, son esprit de détermination.

Avant que de pousser plus avant ce palpitant récit, l'un des plus haletants depuis *Le Petit Chaperon*

Rouge, il me faut bien te rappeler dans quelle atmosphère singulière il se déroule. La trappe relevée, le vrombissement sourd de la broyeuse, le vacarme de sonnailles de la musique indonésienne, ces vassaux éberlués, femmes et hommes fanatisés par Chiang Li et qui, la voyant en grand danger, ne savent plus que faire, effrayés à l'idée qu'une manœuvre contre Béru pourrait avoir des conséquences néfastes. Et moi, comme un enfant grelottant de froid et de trouille parmi eux, chargé de prendre des initiatives, de mettre ce temps mort à profit, mais ne sachant comment !

Seulement, l'Unique est un cyclone, lui. Et ça ne pense pas, un cyclone : ça balaie, ça bourrasque, ça détruit, ça décoiffe. Il tient la nuque de Chiang Li en main, donc le couteau par le manche. Il doit continuer ; que merde, on ne va pas se faire cuire un bouillon de poireaux en se regardant comme des poissons morts à l'étal !

Il est près de la mère Tatzi, à gueule de lanterne chinoise. Géographiquement, elle se situe entre lui et la trappe. Alors messire Dugay-Troué, d'un coup de latte latéral, fauche les cannes de mémère, laquelle bascule ; il la bouscule en direction de la trappe dans laquelle elle plonge la tronche la première. Son hurlement ne dure pas. Fini, le lampion. La chierie de musique clochée couvre le bruit effrayant du concassage.

Le Mammouth a des lotos fous, tant il en peut plus d'efforts pour garder la corde en bouche. Ses batraciennes prunelles me fustigent. Il se demande ce que je branle au lieu d'intervenir. Moi aussi du reste. Il se perd en contractures, en conjectures, Alexandrovitch-Benito. Aimerait savoir si je létharge ou si j'attends le prochain passage du tour de France qui fera escale à Singapour l'an prochain.

Force m'est !

Je bondis sur le teneur de corde. Coup de boule dans la poire. Ses ratiches se dispersent. Il lâche. J'ôte le nœud coulant de l'illustre gorge.

Un pétard, bonté divine ! Mon droit d'aînesse (je suis fils unique) contre un pétard ! J'en avise un dans la ceinture d'un des gardes. Bérurier a traîné Chiang Li jusqu'à la trappe où les ripatons de la maquerelle sont en train de disparaître. Il tient la fille Lamoon au-dessus du gouffre. Frémissement dans l'assistance. Moi, j'ai ma rapière en pogne. Pas suffisant. J'en chope une seconde qui gonfle la fouille d'un autre garde.

— Allez tous vous placer contre le mur du fond ! enjoins-je. Et vite, sinon Chiang Li sera morte.

Ils obtempèrent. Le décès dramatique de la bordelière leur a donné à comprendre qu'ils avaient affaire à des hommes déterminés, voire des surhommes. Disons un surhomme et demi et adjugeons !

Lorsqu'ils sont face au mur, sans me casser le bol, j'applique la méthode policière classique qui consiste à leur faire prendre appui contre des deux mains, et à reculer leurs pieds le plus possible. Voilà notre petit monde à l'alignement.

— Casse-toi avec la gonzesse, Gros, intimé-je. Je les tiens à l'œil pendant que tu sortiras.

— Y en a d'aut' à l'estérieur, me prévient Bibendum, ça va êt' coton d' faire leur éducance.

Il doit mal contrôler ses battoirs, Dudule, car Chiang Li a perdu connaissance.

— On va jouer ça autrement ! décide l'Enflé. Déniche-moi d' l'artillerie à moi aussi.

— Mais comment la tiendras-tu puisque tu as la gonzesse ?

— Fais ! te dis-je-t-il.

Du moment que c'est lui le chef, cette nuit !

Je vais aux gardes encore armés et les déleste de leurs armes.

— Et après, ça consiste en quoi ? demandé-je à mon pote.

Je ploie sous le poids des seringues de tous calibres prestement récoltées.

— Donne-m'en deux chouettes, sans le cran de sécurité. En sortant de la piaule, y a un escadrin, à gauche, qui mène vers la sortie, faudra que ça passe ou que ça casse !

— Mais la fille ?

— Voilà ce que j'en fais !

Il lâche la miss somptueuse dans la trappe, m'empare les deux moulakas et fonce vers la lourde en gueulant :

— Fissa, mec ! Fissa !

Mais moi, tu me sais comme si je t'avais fait, non ? J'attrape la Chiang Li funeste par un bras, l'arrache, la dépose sur le tapis. Il lui manque les deux pinceaux à cette chérie. Deux hamburgers à leur place. Bon, tant pis ! Je calte. Les alignés poussent des clameurs sauvages et se ruent, qui vers elle, qui sur moi.

Je balance un peu de purée dans les jambes les plus véloces. Ça refrène. Me voici sur le palier. Je peux te dire qu'à côté du bouzin qui éclate, Verdun c'était une partie de chasse en Sologne ! Ça plombe à droite, ça plombe du bas de l'escadrin. Béru y est engagé à demi et il défouraille allègrement. Moi, je prunaille mes arrières. Ces niacouais, ils ne doivent jamais s'entraîner au tir. Rater deux mecs dans un escalier, faut y mettre du sien, non ? Surtout des gars comme Béru ! Les bastos bourdonnent à nos oreilles, trouent nos fringues, là où y a pas de viande dessous.

Voilà : on est en bas. Trois mecs ensanglantés gisent dans le hall d'entrée, deux autres se sont foutus à plat ventre pour se soustraire au tir nourri du Gravos. La porte est fermaga au verrou. Un gros verrou à l'ancienne, costaud de partout. Pépère l'actionne avec tant de violence que l'objet lui reste dans la main.

Le Mastar jette ses feux because ils sont vides et qu'il y plus mèche d'écrire à Manufrance pour commander des chargeurs de rechange. Moi j'engaine celui qui contient encore des balles dans mon falzar.

La rue ! La chère rue grouillante, colorée, bruyante. Sécurisante !

Mon Dieu, se peut-il ?

Sauvés ? Tu penses ? Oui ? Merci !

J'ai une espèce de sanglot rentré. J'en crois pas mes sens. Ces couleurs, ces bruits, ces odeurs... Pour moi ? Encore ?

— Amène-toi ! lance l'Autoritaire.

Un pousse-pousse est à l'arrêt. Le Gros s'y love.

— Je vais t' faire un peu de place, promet-il.

Qu'il dit, le con ! En fait, je suis sur ses genoux.

— Tu devrais essayer de rentrer ta queue, lui fais-je, je ne m'assieds pas sur n'importe quel coussin.

Le coolie est droit sur ses pédales. On décarre lentement. Je mate par la petite lucarne pratiquée dans la capote du véhicule. Je vois sortir des gus écumants de la maison. Ils se lancent dans toutes les directions. Nous dépassent bientôt, sans nous voir. Deux dans un pousse-pousse, l'idée leur vient pas.

On cahin-cahate au long des rues bigarrées (toujours parler de rues bigarrées quand il est question de l'Asie, ça fait exotique). Au bout d'un moment, le taxi-driveur met un pied à terre.

C'est seulement à cet instant que je reconnais Pinaud.

— Il faut que tu me remplaces, Alexandre-Benoît, chevrote-t-il. Deux, dont un comme toi, quand on a mon âge et mes rhumatismes, c'est inhumain !

DÉTECTIVE

— Et vous dites qu'elle a les deux pieds broyés ? fait flegmatiquement Prince Larwhist.

Mais je sens que la nouvelle le secoue sur ses pilotis.

Comme pour se donner la force de surmonter ma confirmation, il se sert un triple scotch dans lequel il oublie de verser de l'eau, et avale un trait généreux de ce que les délicats plumitifs de mes fesses nommeraient « le breuvage ambré », ces nœuds ! Toujours une poésie frelatée pour kermesse, noces et banquets.

— Jusqu'aux chevilles, dis-je.

L'Anglais me tend la main.

— *So long,* mon cher, je vous dis adieu pendant que j'en ai l'occasion car vous êtes un homme mort.

Il ajoute :

— Et si l'on apprend que vous êtes venu chez moi, je ne vous survivrai pas. Le monde n'est pas assez grand pour vous permettre d'échapper à la vengeance de Lamoon.

— J'irai sur Mars, gouaillé-je.

Il m'admire de pouvoir calembourer dans de telles

circonstances, considère cela comme une nouvelle preuve de l'inconscience française.

— Il n'existe pas un centimètre carré de ce pays qui ne soit déjà sous surveillance. Vous vous trouvez au cœur d'une toile d'araignée de laquelle il vous sera impossible de vous échapper. Im-pos-sible !

Et là, il juge opportun de finir complètement son verre.

— Vous avez mis votre Mâ Jong sur la piste de Sonia Wesmüler ? coupé-je.

— Comme promis.

— Il a des résultats ?

— Je n'en sais fichtre rien.

Moi, je vais te dire. Il a beau être courageux et fair-play, le Rosbif, son rêve est de me voir disparaître à tout jamais et de m'oublier. Ma présence, c'est de la mort en tube. Il croit déjà sentir une volée de bastos au creux de son estom' et ça le gêne pour déguster convenablement son whisky.

— Donnez-moi ses coordonnées.

— 128, Chuch Mabith Road.

Il ajoute :

— Je lui ai versé mille dollars d'acompte.

— Les voilà, Prince. Merci pour tout et à charge de revanche. Si un jour vous avez besoin d'un coup de main, je suis dans l'annuaire.

— Vous espérez réellement vous en sortir, San-Antonio ? demande-t-il avec une admiration incrédule (ou une incrédulité admirative).

— J'ai toujours espéré m'en sortir et je m'en suis toujours sorti, ami. Dans la vie, le tout est de vouloir très fort les choses.

Dehors, le vélo-pousse m'attend. Cette fois c'est Bérurier qui pédale. Son énorme postérieur se met à tanguer devant nous. Comme je m'étais muni d'un plan de la ville, je lui lance les directives pour qu'il emprunte l'itinéraire convenable.

— J'ai eu une riche idée d'acheter ce vélo-taxi, déclare Pinaud, en contemplant l'énorme paire de jambes qui nous tracte. Constatant combien la circulation était dense, à Singapour, j'ai pensé qu'il constituait le meilleur mode de locomotion pour te suivre, car il se déplace, en fin de compte, plus rapidement qu'une voiture.

— Pourquoi vous êtes-vous déguisés en Chinetoques ?

— Réfléchis. Si cet engin était propulsé par un Européen, tout le monde le regarderait. Il convenait donc de se fondre dans la masse. Comme nous étions amenés à le piloter alternativement, il fallait que nous fussions tous deux transformés en Asiatiques.

— Riche idée ! approuvé-je.

— Bien entendu nous ne pouvons plus retourner à ton hôtel.

— Ce serait effectivement imprudent. A propos qu'avez-vous fait du cadavre ?

Il rit :

— Nous l'avons caché dans la chambre du Vieux, après quoi on a mis l'écriteau « *Do not disturb* » sur sa porte.

— Il dormait toujours, Pépère ?

— Complètement ! Le décalage horaire l'a sonné, c'est courant chez les gens de son âge.

Il mate le panorama enchevêtré avec intérêt.

— Curieuse ville, n'est-ce pas ? Crois-tu que nous aurons l'opportunité de visiter le Temple des Mille Lumières ? Il abrite un bouddha de quinze mètres de haut et j'aimerais assez voir cela : tu mets une pièce de monnaie dans un appareil et la statue s'illumine.

— Si on n'a pas le temps, je t'emmènerai à Disneyland, dis-je.

Devant nous, le monstrueux cul vient de s'immobiliser.

— Ne serait-ce point-il ici ? questionne le pédaleur de charme en torchant d'un revers de manche son beau front de penseur ruisselant.

Je vérifie. Effectivement, nous sommes bien au 128 Chuch Mabith Road.

J'avise une boutique vaste et délabrée, dans la devanture de laquelle figurent quelques meubles aux formes bizarres. L'enseigne est écrite en chinois, mais comporte un sous-titre en anglais : « réfection de meubles anciens ».

— Attendez-moi là, les anges gardiens !

Et de pénétrer dans l'antre. C'est sombre : juste une ampoule électrique sans abat-jour, au bout de son fil. Au début, je me repère mal, mais d'étranges bruits en provenance du fond me téléguident. Je découvre une chose assez singulière.

Figure-toi que la porte d'un placard en réfection est placée contre un mur. Une dizaine de gus émaciés forment un cercle devant elle. Ils sont cul nu et portent, pour tout vêtement, des tee-shirts en haillons et des sandales ravagées. Le cercle se déplace avec lenteur. Lorsqu'un des participants se trouve devant la porte, un mec de meilleur aloi, à savoir qu'il est moins squelettique que les autres et entièrement saboulé, le fait se baisser, guide son triste cul en un point précis du panneau de bois et lui donne un signal guttural. Alors le type incliné produit un effort et lâche un large pet. Pas de ces pets francs et sonores qui ont assuré la gloire de Béru, mais un pet foireux, bulbeux, pataugeur. La chose accomplie, l'homme se redresse, le cercle se déplace d'un bon pas et le maillon humain suivant réitère l'opération.

Ces pets collectifs, issus de la consommation intensive d'un haricot spécial, assurent au bois une patine recherchée. Il suffit de cirer le meuble une fois qu'il est entièrement teinté et l'on obtient de l'ancien garanti.

Ayant admiré plusieurs prestations de ces messieurs, je me mets en quête de Mâ Jong. Un nouveau vieillard à bout de course (je te jure qu'ils font l'élevage ici) accroupi contre un pilier, à fumer une longue pipe de bambou au culot de faïence minuscule, m'indique le logement de mon « détective privé ». L'endroit se trouve dans une longue cour nauséabonde où l'on accède par le fond de la boutique. Un escalier de bois à ciel ouvert, tout branlant. Des gosses gueulards, des chats scrofuleux, des fenêtres aux vitres fêlées, des plantes luxuriantes dans des bidons de tôle ondulée, des linges de couleur, des poulets hauts sur pattes, au cou dénudé, des amoncellements d'ordures inexprimables composent le décor. L'Agence Mâ Jong n'a rien de commun avec l'Agence Pinkerton, chère à Dashiell Hammett.

Au sommet du roide escadrin, l'est une porte vitrée sur les carreaux de laquelle on a collé du papier à motif.

Une jeune femme aussi enceinte que chinoise, et peut-être même davantage, m'ouvre. Je lui demande si mister Mâ Jong est laguche. Bien que, visiblement, elle ne parle pas l'anglais, elle me débouche l'horizon pour me montrer le personnage.

Imagine une grosse gonfle flasque, aux paupières bouffies, aux cheveux huileux, avec un *nose* large comme un appareil photo et une bouche de gros bébé lippu (le seul mot en « pu » qui prenne deux « p »). Il porte un méchant polo noir, un pantalon de toile blanche qu'il ne lui est plus possible de boutonner entièrement, et des sandales de cuir. Ses chaussettes noires... Non, rectification : il n'a pas de chaussettes, c'est la crasse qui m'a abusé. Cézigo, c'est pas tous les jours qu'il prend un bain. Faut dire que ce logement misérique n'est pas riche en sanitaires. Ce qui me surprend au passage, c'est qu'un gazier pratiquant des tarifs aussi élevés (mille dollars pour une filature) vive dans cet antre délabro-pestilentiel. A Calcutta, je veux bien ; mais à Singapour, cité moderne, opulente, ça te perplexe.

Je lui révèle que je suis l'amigo de Prince Larwhist, lequel l'a chargé d'un travail pour moi. Le gars, j'oubliais, est en train de claper une nourriture gangrenée dans un bol. C'est noirâtre et ça pue.

Mister Mâ Jong a un léger acquiescement. Il achève de s'expédier dans la margoule un tacon de bouffe céréalière (il y a également des morceaux de poisson et de la sauce hallucinogène dedans). Puis il se lève.

— Si vous voulez bien me suivre, propose le détective en gagnant une porte basse.

Va-t-il pouvoir passer par l'ouverture, malgré son embonpoint ? Oui ! Et sans chausse-pied, il pénètre dans une espèce de réduit garni d'étagères sans importance collective. Et après ?

Ben, après, il y a une seconde porte au fond de cette souillarde, mais qui n'est apparente que lorsque tu la pousses. Elle donne sur une pièce vaste et luxueuse, décorée de tentures de soie, de meubles laqués, de tapis épais, de lustres pimpants, de canapés tendus de satin aux couleurs vives. M'est avis que Mâ Jong mène une double existence. Il vit officiellement dans la pouillerie, mais il a à disposition un local de qualité dans lequel ses pinceaux cradoches détonnent.

Il me désigne un fauteuil.

— Je vous prie !

Je me dépose.

Ce mec, malgré son accoutrement, ses pieds sales et sa bouille de coolie en chômage, paraît aussi à l'aise dans ce salon qu'un gonocoque dans une blennorragie.

— Puis-je vous offrir un whisky ?

— Volontiers.

Il ouvre un buffet bas aux incrustations de cuivre et d'ivoire, en sort un plateau lesté de godets et de boutanches. Il y a même un petit bac à glaçons thermique. Son J and B est de *first quality*. Il sert deux rations importantes, me présente l'un des verres.

— Avec ou sans glace ?

— Avec.

Gling ! Gling ! Deux jolies banquises se mettent à attendre le père Cousteau en tintant contre les parois de cristal.

— Votre logement est inattendu, Mister Mâ Jong, lui dis-je.

— Pour vivre en paix, il convient de ne pas susciter l'envie, répond ce philosophe.

Tchin ! Ou plutôt « Chine ». Je bois à sa sagesse.

— Vous avez des nouvelles à me donner de la dame qui m'intéresse ?

— Certes.

— En ce cas, je vous écoute.

— Cette personne a quitté vers seize heures la résidence de Martin Maldone dans une Volvo décapotable. Un chauffeur malais conduisait la voiture. Ils se sont rendus 609, Mayer Road.

Pourquoi, illico, cette adresse se met-elle à frétiller dans mon souvenir ? Je sais que j'en ai eu connaissance au cours de mon enquête. Pine et mémoire d'éléphant, l'Antonio ! Avec lui, rien ne se perd, rien ne se crève, tout s'emmagasine. L'humus de ma mémoire s'enrichit de mille et une notations. Même le flou se fixe dans quelque recoin de mon caberluche où il s'opacifie pour fournir du concret.

Je répète :

— 609, Mayer Road...

Et puis le reste suit :

— Chez un certain N'Guyen, n'est-ce pas ?

L'autre a un léger sourcillement.

— Exact.

— Lequel est mort en France le 28 janvier de cette année dans des circonstances dramatiques : en nettoyant son fusil, il s'est fait éclater la tête.

— Je pensais vous l'apprendre, murmure à regret Mâ Jong.

— Car vous avez pris des renseignements sur les gens que visitait Mme Wesmüler ?

— Je considère que cela fait partie de mon travail, monsieur. Si je suis très demandé, c'est parce que je fais bien les choses.

— Je vois. Bravo !

Il ramasse un coffret de laque brune sur une table et l'ouvre.

— Cigare ?

— Je ne fume que des Davidoff number one, le snobé-je.

— Ce sont des Davidoff number one, annonce le détective en me présentant l'humidor.

Il est sciant, ce mec. Et dire qu'à deux mètres de

là, sa bonne femme enceinte se traîne entre des brocs de faience fêlés, des linges innommables et des ranceries gerbantes !

Il me choisit un havane à peau souple, le sectionne et me le fait allumer à la flamme d'une soufrante de trente centimètres.

— Vous auriez donc un rapport à me communiquer sur les habitants actuels du 609, Mayer Road ! n'osé-je espérer.

Acquiescement discret du gros lard verdâtre. Il se dirige vers un coin du salon et cueille sur une console de bois tourné quelques photos prises au polaroïd. M'en tends une.

Je reconnais Sonia Wesmüler en robe légère, sac Louis Vuitton, pénétrant dans une maison moderne, de forme géométrique, précédée d'une grille noire et d'une pelouse où croissent des palmiers nains.

— Elle arrive ! annonce-t-il.

La seconde image qu'il me propose montre Sonia escortée d'un homme brun, vêtu de blanc, type asiate.

— Elle repart, fait Mâ Jong.

— Qui est l'homme qui la reconduit ?

— Tû Tan Fou, l'un des principaux collaborateurs de Kong Kôm Lamoon.

Là, vois-tu, Lulu, San-Antonio l'unique bondit à l'intérieur de son slip.

— Qu'est-ce que Lamoon a à voir avec le 609, Mayer Road ?

— Cette maison lui appartient, ainsi qu'une centaine d'autres dans la ville. Il y loge certains de ses gens parmi les plus importants.

— Dois-je comprendre que le dénommé N'Guyen comptait parmi ceux-ci ?

— Il était probablement le bras droit dc Kong Kôm Lamoon.

Ça, c'est du neuf ! Attends dix secondes que je puisse bien tout assimiler sans bavures. Ainsi donc, l'Asiatique « accidenté » à l' *Auberge des Chasseurs* était une créature de Lamoon ? Cet Indochinois, j'en ai la profonde conviction, a eu la vitrine pétée par les Wesmüler (par monsieur ou par madame), ce qui n'empêche pas la Sonia de rendre visite quelques mois plus tard à cette pension Mimosa de grand luxe réservée aux lieutenants de Lamoon ! Tu piges quéqu'chose dans ce tonneau de goudron chaud, toi ?

— Sa visite au 609, Mayer Road a duré longtemps ?

Il tient encore deux photos dans sa main, comme deux cartes à jouer qu'il ne se décide pas à abattre.

— Trente-huit minutes !

— Merci de la précision. Et ensuite, où s'est-elle rendue ?

J'ai droit enfin à la troisième image. Nouvelle habitation de grand prestige dont la porte est sommée du drapeau tricolore. Calme-toi : il s'agit seulement du drapeau néerlandais, à savoir que nos trois chères couleurs ne sont pas glorieusement disposées à la verticale mais connement à l'horizontale. De ce fait, ce sont des couleurs merdiques pour représenter une nation merdique. Je n'ai rien contre les Hollandais, va pas déduire ; simplement, je pige mal à quoi ils servent. C'est pas des vrais Allemands, pas des vrais Flamands, pas des vrais Scandinaves, rien que des blondasses à la con qui ont inventé la housse capitonnée à œufs coques. Y aurait pas eu Van Gogh, on ne saurait même pas que ça existe.

— L'ambassade des Pays-Bas ? je dcmande.

— Exact. Elle y a passé une heure dix-sept minutes.

Quatrième photo. On voit une dame du genre dondon dodue embrassant Sonia sur le perron.

— Qui est cette personne ?

— L'épouse de l'ambassadeur.

— Elles paraissent très liées.

Mâ Jong approuve. Il me verse une recharge de J and B et me file un glaçon capable de faire rebelote avec le *Titanic.*

— Après cette seconde visite, elle est rentrée chez Martin Maldone, déclare ce privé aux pieds sales.

Je lève mon verre pour lui porter un toast.

— Joli travail, Mister Mâ Jong.

Il s'incline sans que son visage enregistre la moindre satisfaction.

— Estimez-vous en avoir pour mille dollars ? me demande Mâ Jong.

Honnête jusqu'au fin fond du slip, j'opine :

— Tout à fait.

Alors, le gros jaunassu de demander :

— En voudriez-vous pour mille dollars de plus ?

— Qu'entendez-vous par là ?

— Que je suis en mesure de vous fournir d'autres renseignements susceptibles de vous intéresser.

— Concernant cette femme ?

— Ainsi que son entourage. Vous m'aviez uniquement chargé de la suivre et de rapporter ses faits et gestes de la journée ; je me suis acquitté de cette mission à votre entière satisfaction. Il se trouve que j'ai eu la révélation de certaines choses qui ne devraient pas vous laisser indifférent puisque vous vous intéressez à elle.

— Etes-vous bien sûr, Mister Mâ Jong, qu'elles vaillent mille dollars ?

Il hoche la tête.

— Question d'appréciation, dit-il, comme pour tout. Ecoutez, vous m'inspirez confiance, je vais vous raconter ce que j'ai appris et vous me réglerez ensuite. C'est la première fois que je pratique ainsi. En Asie, ce procédé n'est pas pensable.

Flatté, je sors mon portefeuille. Y puise dix billets de cent dollars que je dispose en éventail sur la table basse.

— Vous êtes psychologue, Mister Mâ Jong. Vous saurez lire sur mon visage mon degré de satisfaction — ou de déception — et c'est vous qui déciderez de votre dû.

Quelques minutes plus tard, je prends congé de cet étrange personnage, soulagé des mille dollars. Je ne les regrette pas.

En repassant par l'ébénisterie, je constate que le groupe des « patineurs » s'est désorganisé. Maintenant il est en essaim et, bouche bée, regarde mon cher Béru qui vient de tous les remplacer au cul levé. Le bénouze en accordéon, son monstrueux dargiflard braqué contre la porte, il déferle de l'œil de bronze, l'artiste. S'amuse comme un fou. M'interpelle :

— Ah ! t'v'là, mec ! Si j'aurais su qu'je pouvais faire des œuv' d'art av'c mes loufs ! T'imagines, toutes ces louises perdues ! J'en aye tant tell'ment balancé dans ma vie qu'on aurait pu gonfler un ballon dirigeab' ! Ces niacs qui se met à huit pou' teinter c't'lourde ! Vise ma pomme : j'viens de leur faire tout un panneau en moins d'dix broquilles ! Et question teintage, c'est du vrai ! Qui tient la route !

Eux aut', les pauv' y lâchent chacun un pétounet de rosesière et y laissent leur place au suivant ! Moi, vise un peu. A volonté !

Il se redresse, aspire un grand coup, puis se baisse et se comprime le bide des deux poings. S'en suit un tir nourri (au cassoulet) qui ressortit de la salve de mitraillette et de l'agrafeuse à répétition. En fait, il s'agit davantage d'un immense pet au ralenti que d'un chapelet de pétolons. C'est ample, généreux, noble et grave. On sent la puissance de l'artiste, ses réserves inépuisables, l'intensité de son action. Son anus marque une époque, fait fi des caprices intestinaux ; prend tous les risques, tel le skieur olympique qui se jette dans la pente au mépris des règles de l'équilibre.

Les petits hommes, domptés par sa verve impétueuse, restent sidérés devant ce souffle intérieur, plus ardent que celui de Vulcain. Ils regardent brimbaler l'énorme chopine de mon pote, autre objet de médusance pour ces sous-doués du paf. Quel est cet être énorme dont l'entraille a des accents de typhon ? Comment une pareille tempête peut-elle jaillir de son étoile du soir ? Il sème les vents à tout va ! Parfois, le panneau de bois vibre dans la bourrasque. Il tonne ! Tonne encore. Parfois, son tir émet une sorte de couac graillonnant. Béru stoppe alors un instant pour, à nouveau, s'emplir d'air. Il jette un œil sur le dernier impact, un peu plus teinté que le reste. Il dit « Faudra étaler au tamponnoir ». Ah ! l'intègre ! Toujours soucieux du travail bien fait ! Ah ! le sans-reproche ! Il repète déjà ! Pète à s'en décrocher la mâchoire. C'est un récital ! Toute la *Cinquième* adaptée pour son instrument ! Beethoven eût été fier de lui ! Mais non, je débloque : il était sourd !

— Tu viens, Gros, ta démonstration aura été parfaite et laissera des traces.

— Une s'conde, j'fais un' retouche ! proteste-t-il.

Encore une belle série, puis il se reculotte, s'approche du panneau, considère son œuvre et, triomphalement demande :

— C'est chié, non ?

— Presque, lui dis-je.

FORNICATION

La nuit, à Singapour, est féerique.

Beaucoup de lumières et de bruits pour rien. Une forme de liesse dans les rues populeuses. Les beaux quartiers, plus sages, n'en présentent pas moins, eux aussi, un air de fête. A première vue, tu as l'impression qu'ici tout le monde est joyce, rassuré. Les habitants de cette métropole apprécient leur bonheur de l'habiter. Ils sont dans un îlot de paix et de prospérité, à l'abri des conflits, des révolutions, des famines. Ça baigne, quoi ! Ils affurent de la fraîche et la dépensent à tort et à travers. Société de consommation poussée à son paroxysme. Les choses les plus abouties, les gadgets les plus hardis y sont en vente à des prix imbattables. Détaxés !

Le mot magique de notre époque à la gomme ! Détaxés ! Du moment que c'est *moins cher qu'ailleurs,* ils se jettent dessus, ces nœuds ! *Duty free !* Tu les vois, dans les aéroports, les navrants, chargés de bouteilles de whisky et de cartouches de cigarettes, tellement heureux de les avoir eues à bon compte ! Ils se font chier à trimbaler ça, en plus de leurs bagages. Sûrs certains d'avoir opéré une bonne affaire. Ployant sous leur conquête ! Cent, deux cents balles d'économisés ! Le pactole ! L'aubaine ! Ça les rend malins à leurs yeux. Futés ! Combinards. Ils se peinturent avec des alcools dédouanés, travaillant leur cancer du poumon avec des cigarettes hors taxes ! La joie ! Le pied ! La crève en *duty free !* Ah ! les chers imbéciles ! Les immensément cons ! Les *duty friends.* Les *duty frenchs.* Les *duty frutti !* Ravaudeurs, rabioteurs, économistes de bouts de chandelles romaines !

Bérurier qui pédale met brusquement pied à terre devant le massif fleuri d'un parc public. Il se calfeutre les joyeuses et déclare :

— Ecoute, Sana, on *go to* où est-ce commak ? Tu t'figures qu ' j'm'en vas tirer vos viandes toute la noye ? D'abord, j'ai les crocs. Ensute, j'sus vanné.

Ainsi pris à partie, je juge opportun de déballer mes batteries :

— D'après ce plan de la ville-nation, t'as encore trois blocs à parcourir, Gros.

— Et puis ?

— Et puis nous serons à pied d'œuvre.

— Et c'est quoi-ce, à pied d'œuvre ? Au pied de quelle œuvre, d'abord ?

— Chez le beau-père de la belle Sonia. Il donne, cette nuit, une réception d'un genre particulier.

— T'es invité ?

— Oui.

— Par qui ?

— Par moi-même.

Pinaud qui somnolait, accagnardé dans le pousse-pousse, bêle un petit rire frileux.

— Tu devrais nous expliquer ton projet, dit-il tout de suite après.

— C'est pas un projet, pas encore, seulement une

impulsion. Je cherche à faire se juxtaposer des circonstances.

— Je m'en doutais, ricane l'Enflure. Quand j'te mate av'c c't' frime étrange v'nue d'alieurs, j'm' dis : « J' pariererais mes couilles qu'l'grand est en train de faire justapositionner des circonstances ! »

— Ta gueule, pétomane-ébéniste-de-secours ! Ne te gausse pas de ce qui t'échappe, tu mourrais à la tâche !

Pinuche m'incite gravement, jouant le père noble :

— Parle ! enjoint-il, tu disais ?

— Notre situation est désespérée, fais-je. Nous voici en guerre ouverte avec une puissante société secrète : « Le Singe Blanc » et surtout avec l'un de ses principaux membres : Kong Kôm Lamoon dont nous venons de mutiler la fille. Ce qui revient à dire que notre arrêt de mort est signé. Où que nous allions, l'homme nous retrouvera et nous fera payer ce forfait ! Or, il est facile de nous repérer dans ce minuscule Etat.

— Ça c'est la question à vingt balles, déclare l'Hénorme. Continue !

— Un Français, Martin Maldone, habitant Singapour où il a pignon sur rue. Sa belle-fille, mouillée avec Lamoon... D'eux seuls peut peut-être nous venir le salut.

— Pourquoi ?

— Je l'ignore ; c'est une simple idée, une obscure impression. Je subodore que c'est chez eux que nous devons chercher refuge dans un premier temps, puisqu'il n'est pas question pour nous de retourner à l'hôtel.

— Peut-être bien, en effet, admet Pinuchet. A moins qu'ils nous balancent, au contraire.

— Je voudrais profiter de leur réception pour nous introduire chez eux, nous y planquer et voir venir.

— Tu as dit, il y a un instant, qu'elle était d'un genre particulier ? objecte César.

— Il paraît que Martin Maldone préside à Singapour une sorte de club très fermé dont les membres sont passionnés de psychopathologie. Cet homme, avant de se lancer dans « les affaires », avait un cabinet médical à Paris et il continue de consacrer une partie de sa vie à cette branche de la psychologie. Il réunit, plusieurs fois le mois, ses principaux adeptes, parmi lesquels figure l'épouse de l'ambassadeur des Pays-Bas et d'autres personnes appartenant à des milieux très divers. Cette nuit, ils accueillent un hypnotiseur d'origine japonaise qui s'est fixé au Canada, un certain Yamonoto Kadémaré.

— Komantuséça ? désarticule Bérurier.

— J'ai dégauchi un appareil distributeur de potins. Tu mets des dollars dans la fente et tu apprends tout ce que tu souhaites savoir.

Mon coolie (postal) crache dans ses mains, masse ses magnifiques mollets et réenfourche son taxi.

— Allons-y gaiement ! fait-il.

Pinuche se fait tout petit dans mes bras. Nous ne formons plus qu'un. Il sent un peu le vieux, le cachou, le mégot froid, le devant de slip de prostatique.

— On devrait lancer la mode des vélos-pousses à Paris, dit-il, cela soulagerait la circulation et ferait gagner du temps.

— J'imagine le président remontant les Champs-Elysées dans cet équipage, encadré par la garde républicaine à cheval. On demanderait à Laurent Fignon de pédaler, ce serait féerique !

Badernuche bâille.

— Crois-tu que ce vélo-pousse ferait plaisir à Toinet ? J'ai grande envie de le lui offrir.

— Il en serait ravi, cela lui permettrait d'emmener ses petites copines de classe dans les bosquets pour les sauter.

— Alors, une fois l'enquête terminée, je le lui ferai expédier.

— Le port coûtera plus cher que l'engin.

Il balaie l'objection.

— Mes « royautés » continuent de tomber en abondance, mon cher, et je n'ai pas de gros besoins ; du reste je te signale que j'ai testé en ta faveur, Antoine. J'entends qu'après moi, ma fortune t'échût. Tu l'emploieras à des fins humanitaires, après t'être acheté un appartement de grand standing et une Mercedes 500 SL, véhicule mieux adapté à tes nécessités que ma Rolls.

Emu, je ne réponds rien. C'est un peu mon papa, Pinaud.

Le gros pédaleur stoppe.

— Je croive qu'on est au pied d'l'œuv' que tu causes ! déclare-t-il.

Effectivement, nous voici devant la cossue propriété de Martin Maldone. Beaucoup de fleurs que la nuit a encloses. Des palmiers, un air colonial dans la construction because les colonnades. Des lumières. Sur le côté, un espace goudronné servant de parking. On remise le vélo-pousse à l'écart, dans un renfoncement propice, on en descend et on attend.

Quoi ?

L'occasion.

Laquelle ?

Je l'ignore.

Une Bentley grise survient, à jeun, qui cherche aventure et, pour ce faire, pénètre en ces lieux de luxe. Elle va s'aligner auprès des autres véhicules. Un couple bien saboulé en descend. La dame est très platinée, très décolletée, très vioque. Son compagnon est en alpaga bleu croisé. Le couple fait un peu « Dallas ». Le mec a des cheveux gris et, à distance, on perçoit les émanations de son eau de toilette. On les guigne de l'intérieur car la lourde s'ouvre avant qu'ils ne sonnent. J'aperçois la veuve Wesmüler, ravissantissime dans une robe de soie saumon.

Elle exclame :

— Max ! Dora ! quelle joie

— Nous sommes en retard ? demande le mec avec un accent belge à découper au chalumeau oxhydrique.

— Mais non, notre invité d'honneur n'est pas encore arrivé. Son avion...

La porte se referme, engloutissant le trio et ses paroles.

— Voilà une précieuse indication, fais-je. Nous savons que ces gens ne sont pas encore mobilisés ; il nous faut attendre.

Béru pète, malgré le récital qu'il a donné chez l'ébéniste et, une chose en amenant une autre, assure qu'il meurt de faim. N'aurait-il pas le temps d'aller s'acheter des beignets dans la grande artère que nous avons traversée ? Il y avait un éventaire odorant au bord du trottoir.

Je suis disposé à céder à sa sollicitation, mais l'arrivée d'un taxi me refrène. Le véhicule va très lentement, comme un qui cherche une adresse. Il stoppe en bordure de la demeure. Un gros homme courtaud en déboule. Avalancheux ! Un Jaune, du genre japonouille. Les Asiatiques, au début, t'as l'impression qu'ils se ressemblent tous, mais quand tu vis dans un endroit comme Singapour, très vite tu les détermines, les classes. Tu piges que les Coréens et les Japs se ressemblent, qu'ils ont des frimes larges. Les Chinois ont des traits plus réguliers, plus proches de ceux des Occidentaux, les Viêtnamiens sont menus, etc.

Bien, songé-je, voilà le « mage ».

Terme très saltimbanque pour qualifier un hypnotiseur et qui implique une connotation méprisante, mais moi, cartésien à ne plus en pouvoir, je fourre dans le même sac à linge sale les pythonisses, les parapsychologues, les cartomanciennes et les diseuses de mon aventure.

J'attends que l'arrivant ait ciglé son sapin et, délibérément, m'avance vers lui.

— Mister Yamonoto Kadémaré ? je demande.

— En effet, répond le fils du Soleil levé, avec, tiens-toi ferme aux branches, un accent canadien qui a un goût de sirop d'érable.

Il est là, debout, sa valise de porc clair à son côté, il tient une cape noire de magicien sur son bras. Tout juste s'il ne porte pas un chapeau claque déguisé en colombier !

— Mon avion a eu plus d'une heure de retard, il fait, j'en suis navré.

Je saisis sa valdingue et, au lieu de le guider vers le perron, je l'entraîne en direction de notre vélo-pousse.

Il paraît surpris.

— Où allons-nous ?

— Je vais vous faire passer par derrière afin que vous n'eussiez pas à subir dès l'arrivée l'assaut des invités, dis-je ; ils sont tellement impatients de vous voir !

Et j'ajoute :

— Avez-vous remarqué la couleur de la lune, ce soir, Mister Yamonoto Kadémaré ?

Il lève la tête afin de chercher son sosie dans le ciel. Je profite de cette somptueuse ouverture pour lui rectifier le menton d'un crochet capable de défoncer le galandage d'un hôtel de passe. Yamonoto rentre en lui-même et se dépose sur le trottoir.

— Ça consiste en quoi ? demande Bérurier.

Flegmatique comme un Anglais, le gros sac.

— Faut me ligoter ça à bloc et me le bâillonner au point de le rendre muet de naissance.

— N'ensute ?

— On le coltinera chez Maldone, du moins dans un des massifs du jardin. La nuit est douce, il ne s'enrhumera pas.

— Ça s'appelle pas des voix de fête, ce qu'on bricole là ? demande le Gravos.

— Si. Pourquoi ?

Elle vient déponner de rechef. Vue de très près, elle est fabuleusement bandante, la Sonia.

Tu crois que je mens ?

Tiens, touche ! Hein, alors ? Tu crois qu'il s'agit d'une prothèse, Blaise ? D'un gode égaré ? D'une aubergine de passage dans mon froc ? Elle te culmine le sensoriel d'un simple regard, cette frangine. M'est avis que feu Albéric a dû s'en trimbaler des géantes, façon élan du Grand Nord.

Elle regarde le gros mec à la cape noire qui se tient devant elle, puis Pinuche, puis moi.

J'interviens :

— Monsieur Yamonoto Kadémaré est consterné par le fâcheux retard de notre avion, dis-je.

— Ça c'est vrai, ça, renchérit Béru qui tient le rôle.

— Je ne savais pas que vous seriez trois ! murmure Sonia.

— Cela ne doit entraîner aucune modification dans vos préparatifs, empressé-je, nous dormons dans la même chambre. Nous sommes les assistants psychotesteurs du Maître et ne le quittons jamais.

— Ça c'est vrai ça, redit Bérurier.

Elle nous fait pénétrer dans la somptueuse maison. Un brouhaha mondain s'échappe du grand salon. On voit fourmiller des ombres élégantes à travers les carreaux biseautés des portes vitrées.

— Je suppose que vous souhaiteriez vous laver les mains avant la séance ? s'enquiert l'hôtesse.

— Ça c'est vrai, ça, réitère Alexandre-Benoît, greffé perroquet.

En montant l'escadrin, je lui chuchote dans la baffle :

— Fais gaffe ; l'accent canadien n'est pas celui de la Mère Denis !

— Et maintenant, tu es censé opérer une séance d'hypnose, sais-tu en quoi cela consiste, au moins ? je demande au Mammouth.

— Tu me prendrais-t-il pour une truffe, grand ? J'mate l'patient pleins phares. J'prends un' voix surnaturelle et j'y s'rine un ord' jusqu'à tant qu'il m'obéissât.

Il réfléchit.

— D'alieurs, v'sallez m'aider, les deux. Le gusman à chambrer, j'vais l' faire se s'asseoir d'vant une tenture. V's'rez derrière. Quand j'y aurai fait des passes magnétites en y disant d'dormir, vous y cloquez à la sournoise un coup d'contondant su' l'caramel.

— Et s'il n'y a pas d'tenture ? objecte Pinaud.

— J' f'rai sans !

Présentations au « mage ». Son Excellence, l'ambassadeur des Pays-Bas (extrêmement bas) et médème ; le docteur Chioli de l'Université des Sciences abruptes de Rome et la *signora ;* le comte Hambank, de Hanovre, et sa fille ; le peintre Dizzi Kisgrouïe, de New York, l'inventeur de l'expression sur tessons de bouteilles, accompagné de son modèle préféré, la belle Utérus de Cabinces ; Mme Bourrafon, une riche veuve d'origine française, et sa dame de compagnie. Enfin, Martin Maldone, bien sûr, beau sexuagénaire aux cheveux rares mais blonds, au regard pervenche, ainsi que son épouse Kamasutra-Solange, une splendide Hindoue qui porte un tatouage au front et un diam' d'au moins dix carats à la narine droite qui fait songer à un furoncle étincelant.

Martin Maldone nous congratule. Il dit au mage que sa « modeste demeure » (tu parles, Charles !) est à sa disposition, qu'il le remercie vivement d'avoir accepté la proposition de leur club et tout ça, et le reste, très classe, bêcheur un brin, seizième déclaveté, si tu vois le genre ?

On nous propose du champagne, des petits fours. Le bonheur du mage fait peine à voir. Il biche le plateau des mains du serveur, s'installe dans un fauteuil en le tenant sur ses genoux qui peuvent avantageusement remplacer une table, et se met à détruire les amuse-gueules méthodiquement, les engloutissant par rangées : les toasts au caviar, ceux au saumon, ceux aux œufs mimosa, ceux aux anchois, ceux à l'anguille fumée. Il vide sa coupe à chaque bouchée, la tend au loufiat qui, ayant pigé la manœuvre, demeure en faction auprès de lui, le magnum de Krug à la main.

Moi, pendant ce temps, je fais la converse. Je parle des connaissances inouïses de Mister Yamonoto Kadémaré, ses exploits, sa modestie, sa complète décontraction. Faut pas craindre de baliser.

Lorsque l'intéressé s'est enfin sustenté, il rend le plateau vide, rote comme un lion en rut, époussette les miettes qui le saupoudrent et se lève.

Il est pompette, Béru, ce qui ne laisse pas de m'inquiéter.

— Mesdames les enlaidies et messieurs les gentelmants, commence-t-il, j'tiens à c'que l'espérimentation dont j'sus venu faire ici portasse ses fruits. Aussi, j'va-t-il solliciter à chacun et même à chacune d'laisser flotter les rubans. Faut qu'on va tous s'sentir bénaise, mes chers amis, si on voudra obtiendre du résultat. C'est pourquoive, j'vous d'mande d' déconnectionner. Posez-vous pas de problo. Si les esclaves voudront bien s'retirer, qu'on restasse ent' nous.

« Voilà, y caltent. Banco ! Maint'nant, mes assistants, les professeurs César et Antonius va tirer un canapé d'vant la lourde, pas qu'on soye interrompus. C'est slave ! Bravo, mes amis. Si vous voudriez éteind' les loupiotes qu'on baignasse dans les pénombes... Voualâ ! Attendez, on bornique d'trop ! Rallumez-moi c'te petite lampe friponne, làbas, su' la ch'minée. L'abat-jour rose doive donner une p'tite clarté appropriante. Mercille, professeur César ; v's'avez presque l'air d'un bel homme dans cett' lumière délicate. »

Chose étrange, il paraît « habité », le Gros, en cet instant de haute saugrenance. Les hommes, y a qu'à les investir pour qu'ils se transcendent. Tu fais Truman Président des U.S.A. et il te carbonise Hiroshima ; t'élis Jean XXIII pape pour, vraisemblablement un bref intérim, et il te refond l'Eglise. La « mission », y a que ça qui leur remue le cul ! Fais-les plus grands qu'il ne sont et ils le deviennent pour tout de bon ! Lui, tu lui dis : « T'es mage » et IL EST mage ! On lui assure : « T'as *the* don », et il fait comme si ; il donne à croire, à accroire ; convainc !

Le voilà debout, dos à la porte barricadée, surveillant son auditoire en attente qui trempe dans la pénombre. On espère *tout* de lui, alors il peut *tout* se permettre. C'est une circonstance privilégiée.

Il dit, d'une voix morte qui ne lui ressemble pas :

— J'en voye une certaine de parmi vous qu'un malheur guette. J'ai l'regret d'y annoncer un deuil !

Il s'approche de Sonia, pose sa dextre sur les yeux de la jeune femme. De son autre main, il lui parcourt le corps : seins, ventre, pubis, en murmurant :

— Mouais, mouais... Mais l'malheur s'ra bien supporté.

Je contemple la Wesmüler. Elle est pâle, stupéfaite. Y a de l'incrédulité épais comme ça sur ses traits. Ma pomme qui pense si merveilleusement, au point que Blaise Pascal, à mon côté, aurait paru demeuré profond, je me laisse forcer par une évidence : *Sonia est au courant de la mort de son vieux*. Que ce mage y fasse allusion aussi directement l'étourdit de surprise. Ainsi, ce gros homme a-t-il véritablement un don de voyance ? Ah ! fabuleux Béru, connard madré qui sait si tant admirablement et d'instinct faire montre d'à-propos. D'emblée, il gagne son hôtesse à sa cause !

Il lui flatte les meules, longuement.

— C'est pommé à souhait, il dit. La période d'deuil passée, ça va ronfler, c' p'tit engin, j'vous promets !

Il quitte sa « cliente » après une ultime tape affectueuse au menton.

Recule de deux pas.

— Maintenant, laidies et gentelmants, faut qu'j'vais m'livrerer à un' espérience des plus intéressantes. J'pourrais vous inotiser en vous endormant, mais pour ça m'faudrerait une tenture. Y en a pas et en installer une serait, j'voye bien, tout un bordel à cul. Alors, méâmes, messieurs, au lieu d'vous endormir, j'vas vous contracter l'désir. Détendez-vous plus encore, fermez les yeux, respirez douc'ment. Faut qu'ait l'vid' dans vos tronches, l'*schwartz* complet. Disez-vous qu'tout baigne. V's'êtes dans l'moelleux, les mecs. Y a plus qu'vos sesques qui comptassent. Mettez-vous la main droite dessus, sauf si vous sereriez gauchers.

« Allez ! Obéissance au mage ! Couic ! pléase ! Les dames se cloquent la menotte su' l'frifri, les julots su' l'service trois pièces. Voilà ! Y m'manque encor' la vioque aux ch'veux blancs, là, su' ma gauche ! Maâme Bourrafon, j'croive ? Faites bien qu'est-ce que j'ordonne, ma p'tite mère. Même si v's'avez la moulasse poussiéreuse, v'devez vous plier à la règu' générale. Voiliez l'peint', à côté d'vous. Son bénouze gonfle déjà alors qu'on n'a même pas décarré. J'veuille pas d'mauvaises tronches dans l'assemblée, sinon mon espérience rique de foirer colique ! Ah ! la bonne heure. Mercille d' vous conformancer. »

Là, la voix du mage devient ténébreuse. Il chuchote pratiquement :

— On est bien, mes drôlets, v'sentez comme ? On s'royaume, tous ! Moi, rien qu' l'ambiance, ça m'fait goder aussi ! V'vlez la preuve ? Jockey. Les dames a droit d'ouvrir un œil ; pas les matous, y s'raient jalminces. Mes chéries, je vous prille d' considérer l'braque ci-joint ! Pas du toc, hein ? Non, c'est pas une prothèse ! Voui, y r'mue tout seul ! Visez ! Une personne veut-elle toucher d'visu pour constater qu'la grosse bébête est pas bidon, mais bien vivante ? Vous, maâme l'ambassadrice ? V'là l'objet. C'est chaud, hein ? Nerveux ! Allons, allons, on s'calme ! J'sais bien qu'en Hollande y en a jamais z'eu d'pareille, mais c'est pas un' raison pour m'accaparer l'braque d'entrée d'jeu.

Le Mammouth reprend sa place de directeur des débats, voire de chef d'orchestre.

— On barbote dans un bain de sequesualité, poursuit-il, pas vrai, mes canards ? Youyou, j'sens qu'ça mouillotte dans l'secteur ! Les slips à ces dames sont déjà à tordre. Et les mâles, où qui s'en sont, les mâles ? Ça tambourine d'l'intérerieur, hein ? Oh ! le peint' qui dégaine déjà ! C't'une nature, c'mec : y m' plaise !

« R'tenez bien c'que je vous cause, tous. M'aginez, dans c'te pièce, une créature impec, telle qu'v's'en rêvez ! Longue, fine, bien moulée, de longs ch'veux qui y dégoulinent plus bas qu'les noix, des nich'mards d'légendes. V'la voiliez ? Répondez, bordel : v'la voiliez ou pas ? »

— On la voit ! répond l'assistance, les dents crochetées.

— V'la voiliez parce qu'elle est là ! Dans vos

cigares ! Maint'nant é va passer vers chacun d'vous. E s' glisse trois doigts dans la moniche et pis é vous les tend pour un bisou. C'est bon, hmm ? Dites-le qu'c'est bon, bande d'emplâtrés !

— C'est bon ! râle l'auditoire.

Le mage est survolté par le succès.

— C'te déesse d'l'amour, elle' va vous faire à tous une bonne manière s'lon vos vœux. E va débuter par le comte, à tout seigneur, tout donneur. Qu'est-ce y vous f'rait plaisir, m'sieur l'comte ? Hein, quoice ? Causez plus fort ? Une p'tite feuille d'rose ? Tombez vot' bénoche et vous s'rez servi.

Le comte Hambank se déculotte. Il propose son postère à une partenaire imaginaire qui ne lui en prodigue pas moins la spécialité demandée. Il pâme ! « Encore ! » implore l'Allemand dans l'abominable langue de Gœthe.

Mais le mage intervient :

— Hé, oh ! Mollo, Dudule. On va pas passer la nuit sur ton oignon. Place aux aut' ! Elle aimerait un' p'tite gâterie privée, la p'tite dame d'compagnie à la vieillasse ? Quoi donc, ma poule, gênez-vous pas, d'mandez. V'voudriererez y pratiquer un' p'tite langue su' l'clito à la déesse ? Souate ! Mais dites-moi, mon p'tit cœur, vous donneriez pas dans l'gigot, av'c vot' douarière ? On parille qu'é s'fait lichouiller l'veuvage, la mère ?

Ainsi, ce formidable maître de l'hypnose induit-il chaque personne présente à user des charmes de cette créature produite par sa seule imagination.

Te dire si l'ambiance est créée !

— Maint'nant, il est temps d'vous met' à l'aise, fait-il. Tout l'monde à loilpé ! Si la vieille glaglate, on baissera l'air conditionné.

Je lui savais pas des dons de cette magnitude, à l'Enfoiré. Non seulement comme hypnotiseur, mais aussi comme organisateur de partouze. Je le croyais forniqueur, comme l'est un goret, mais aussi subtil, à ce point « cérébral », j'en tombe des nues (et des nus).

— Bon, fait-il, la fille au comte va s'occuper du peint'. V's'êt' encore berlinguée, mam'selle ? V'savez pas ce qu' je cause ? Aucune importation, c'grand pendard va s'occuper d'vous. V'risquez pas grand-chose vu qu'il est chibré chipolata, l'barbouilleur ! Pour peu qu'y se crache su' l'gland, ça passerera comm' une lett' à la poste. L'docteur rital, bien qui fasse intello, j'sus certain qui va bicher un panard géant avé l'modèle au peint'. Bon, sa rombière d'vrait s'respirer M'sieur Maldone, not' hotte. Vous, comte, v'sereriez d'accord pour dire deux mots à l'ambrassadrice ? Moui ? Elle est pas affolante mais ell's'trimbale un popotin phénoménal, qu' t'y logerais un'escouade ! Quant à l'ambrassadeur prop'ment dit, on va l'charger d'convertir la p'tite gouinasse à mémé à la r'ligion orthodosque. Mémé, j'croive qu'on va la confier au professeur César, mon assistant, n'est-ce pas, professeur ? Comment ? Vous disez qu'vous préféreriez la jolie épouse hindoue à M'sieur Maldone ? J'regrette, c'est moi qu'j' m'en charge : je raffole les brunes, é me rappellent Berthe ; mais j'vous la passerai tout c'qua de volontiers après usage si l'cœur vous en dira encore. Rest' à caser la jolie blonde qui nous a reçus. Cell'-ci' pas b'soin de tergir l'verset, elle' est pou' l' professeur Antonius qui meurt d'envie d'se la râper.

« A présent, mes chers amis, que la digue du cul commence. Un pour tous, tous pour une ! Faut qu'ça va fumer, les gars ! Les ceuss qui s'raient à court d'imaginance n'auront qu'à copier sur moi et mes assistants ! »

Ainsi parla le mage Yamonoto Kadémaré, alias Béru.

IVRESSE

Ce fut une folle nuit d'ivresse.

Enchanteresse.

Câline comme une nuit de Chine.

Dévergondée, ô combien !

Cette hypnose collectivo-érotique, créée par le faux mage (de tête) enchevêtra ces gens férus de sciences diffuses. On leur avait déjà fait le coup du sommeil, celui des contacts établis avec l'au-delà, l'autosuggestion tactile, gustative, sonore, mille autres classiques du genre. Mais jamais encore l'hallucination sexuelle. Ils forniquaient à qui mieux mieux, dans un délire des sens totalement débridés. Ce n'était qu'enfilades, sodomies, fellations.

Les couples composés par Sa Grâce se défaisaient pour en composer d'autres. Ainsi vit-on la vieille veuve Bourrafon chevaucher d'autorité le comte, sa dame de compagnie gougnoter la belle Hindoue, le peintre tailler une plume au professeur italoche, l'ambassadrice filer deux doigts de cour dans l'oigne de Martin Maldone et bien d'autres prodiges ! La meute de médiums en rut glapissait, couinait, hurlait, dans une folle effervescence (de térébenthine). C'était un entrelacs de corps dénudés, un terrible grouillement de moisissures humaines, une noire partouze quasi luciférienne, un cyclone de chair en folie. Les objets, les meubles précieux du salon étaient brisés par ce bestial déploiement.

Après avoir savamment tiré Sonia Wesmüller, et comprenant que je ne satisferais pas son appétit inextinguible parce que, justement, il était inextinguible, je l'avais laissée à Béru dont la garce avait mis à sac le formidable appareil. Ensuite, son avidité, sa béanterie, l'avaient conduite entre les cuisses admirables de la belle Utérus de Cabinces et elle démenait plus fort que tout le monde en criant des ordureries comme on essaie des échos en des vallons tyroliens.

Content de son pouvoir, mon mage regardait déferler, une boutanche de champ' en main. La buvait au goulot, ce qui le faisait feuler haut et fort. Terrassé par une émission séminale qui n'était plus de son âge, Pinaud dormait sur le tapis chinois. Les tapis chinois sont moins beaux que les tapis d'Iran, mais beaucoup plus épais, donc mieux aptes à recevoir le sommeil d'un homme de bien terrassé par la fatigue.

Ce remue-ménage indicible, cette fantastique copulation mondaine aurait certainement duré jusqu'à l'aube, voire au-delà, si un événement important n'était survenu, au plus fort de la mêlée.

Brusquement, un fracas de bois et de verre brisés avait dominé les râles de jouissance, les appels au paf, les implorations, les exhortations frénétiques. Cela s'était produit alors que la vieille conjurait le comte de la prendre en levrette, lui criant des graveleuseries dont la seule à peu près répétable, je trouve, était « Mais bourre-le donc à fond, mon vieux pot, salaud ! » Requête que le noble Allemand prenait en considération avec une grande bienveillance ; parce qu'on a beau dire, mais ces hobereaux teutons conservent encore une certaine classe, merde !

Donc, comme si l'enjoignement de la vieille peau était un signal, les deux fenêtres du salon avaient volé en éclats sous l'effet d'un double coup de boutoir. Une demi-douzaine d'hommes vêtus de trainings noirs et coiffés de cagoules, noires aussi, avaient fait irruption (et interruption) avec une agilité de singes, brandissant des armes sophistiquées, style pistolets-mitrailleurs, et couvrant instantanément tout le salon.

S'en était suivi un choc général. Un égarement comateux. Les bites s'étaient mises à pendre, les moniches à se refermer sur leur cloaque insane ; la pudeur à reprendre ses droits. Les dames croisaient les jambes et mettaient leurs mains salopes en conque sur leurs nichebards, les mecs attrapaient des coussins pour se cacher coquette. Les prunelles s'exorbitaient, les bouches s'ouvraient sur de muettes interrogations. La peur s'emparait. Montait. Moi-même, passablement dérouté, je me demandais d'où sortaient ces petits hommes noirs, si apparemment belliqueux.

Deux d'entre eux ont retiré le canapé de devant la porte du salon. Ils l'ont ouvert et trois autres mecs, pareillement accoutrés, surgirent du hall.

Le plus gros se mit à défrimer l'assistance. Je dis le plus gros, mais en fait, lui seul l'était, gorille parmi ces oustitis. Il me désigna en premier, puis Béru. Les péones nous emparèrent et lièrent nos mains dans notre dos. L'autre mec continuait de faire son choix. Il montra Martin Maldone. Bien que ce dernier fût à poil, on l'entrava tout comme nous, et on le poussa en direction de la porte. Enfin, ce fut le tour de Sonia. Elle aussi était à loilpé avec plein de chandelles romaines dans la région antarctique. Elle eut également les poignets liés dans le dos.

La scène était impressionnante par son silence. Ces petits hommes noirs affairés ne faisaient aucun bruit, ne proféraient aucun mot. Ils se mouvaient avec une folle agilité de Martiens.

Celui qui dirigeait le commando acheva son inspection mais ne choisit plus personne. Quand il eut terminé, il sortit un objet de la poche ventrale de son training noir, le tint entre le pouce et l'index pour le montrer à l'assistance.

C'était une petite statuette d'ivoire représentant un singe blanc.

SIRÈNES

Tu le sais, je ne suis jamais bêcheur avec moi-même. Aussi me dis-je, non sans familiarité : « Cette fois, mon bébé rose, tu l'as dans baigneur si profondément que ça te chatouille déjà la luette (je te plumerai !). L'opération « Singe Blanc », prévue par ce bon Larwhist, est en cours. Il m'avait prévenu que je jouais avec un bâton de dynamite allumé (ou d'Ovomaltine, voir la pube télé), et cette noble découverte de M. Nobel, qui devait faire tant de bruit, t'explose pleine poire.

« Tout à l'heure, mon chérubin, tes jolis testicules se balanceront dans les branches d'un arbre, kif les boules de Noël d'un sapin. Un tel déploiement de forces indique clairement le prix que cette organisation attache à notre capture. En apprenant la mutilation de sa grande fille, Kong Kôm Lamoon a lâché les chiens. « Le Singe Blanc » n'aura mis que quelques heures à nous retrouver, ce qui, à vrai dire, ne présentait pas de difficultés majeures dans une ville qu'il contrôle rigoureusement. »

Nous traversons le jardin. Un vaste fourgon noir, comme en utilisent les convoyeurs de fonds, est stationné devant la propriété. Les martiens ouvrent la porte arrière et nous y font monter. Il s'agit bel et bien d'un véhicule blindé. Eclairé par des meurtrières, le jour, et par des plafonniers, la nuit. Ses parois sont bordées de banquettes rembourrées. Un appareil à air conditionné entretient dans la caisse une température clémente. Nous prenons place sur les banquettes de gauche. Les lutins nous font face. L'un d'eux s'assied sur un strapontin fixé à la porte, laquelle a été verrouillée de l'extérieur. Entravés et gardés par une escorte aussi nombreuse et bien équipée, tout espoir d'évasion est à bannir.

Je me trouve assis entre Maldone et sa belle-fille. Ils sont « dégrisés » et leur nudité les épouvante presque autant que cette équipe d'hommes noirs.

— Charmante soirée ! fais-je à l'homme d'affaires.

Il est livide, avec même du gris sous les paupières. Il lui vient des tics, à moins que ce ne soient des frissons dus à la fraîcheur du fourgon ou à la trouille.

— Vous réalisez ce qui se passe ? lui demandé-je.

Mais il ne répond pas.

— Le Singe Blanc, non ? poursuis-je. Sans indiscrétion, vous traficotez avec cette organisation, Maldone ?

Il reste prostré. Y a rien à en tirer. Je me tourne donc vers la belle Sonia. N'avons-nous pas connu, très récemment, une certaine intimité et des épanchements ardents ?

— Vous avez déjà eu affaire avec « Le Singe Blanc », Sonia ?

Tu sais quoi ? Ah ! les gonzesses !

— Et vous ? qu'elle me répond avec aigrance.

Dis, toute nue et enfoutraillée dans ce fourgon, parmi ces niacouais en cagoule, faut du culot, non ?

— C'est la première fois, contre-mauvaise-fortune-bon-cœuré-je. Et je crains que ce ne soit également la dernière.

— Moi de même, lâche la belle.

— Mais vous savez de quoi il retourne, non ?

— Je pense.

— D'ailleurs, poursuis-je, il y a des tas de choses que vous savez.

— Qui êtes-vous ?

— Commissaire San-Antonio des Services Spéciaux.

Elle reste de marbre rose, comme toujours dans les cas rares (marbre de Carrare ! Bravo Santantonio, ça c'est du calembour qui vole haut !).

Pour la moucher, j'ajoute :

— Je me trouvais place de l'Opéra quand le petit coquin de Fluvio s'est fait descendre par vos potes.

Elle me file une œillée prompte.

Je poursuis :

— C'est moi également qui ai constaté le décès de votre époux sur le chantier qu'il visitait.

Elle continue de ne pas broncher, qu'à peine son dos s'arrondit légèrement.

J'ajoute :

— Je sentais que vous étiez au courant. Dommage que nous ne disposions pas d'un brin d'avenir, vous et moi, nous aurions des choses à nous dire.

Elle répond :

— Vous faites bien l'amour.

— Je vous retourne le compliment. J'aurais aimé savoir ce que vous maniganciez avec votre beau-père. Il est plutôt sympa, mais il parle peu. On devine l'homme simple, modeste. Il doit faire enlever le bouchon de radiateur de sa Rolls pour faire pauvre.

Elle murmure :

— Vous n'avez donc pas peur ?

— Pour quoi faire ?

— Et vous dites connaître « Le Singe Blanc » de réputation !

— Je dispose d'une faculté exceptionnelle, Sonia : je vis l'instant, seulement l'instant.

— Vous trouvez celui-là confortable ?

— Ne sommes-nous pas assis ? Certes, en ce qui vous concerne, ça manque d'une petite culotte et d'un soutien-loloches. Au fait, je peux vous passer mon veston. Ah ! non, c'est vrai, j'ai les poignets ligotés. Qu'êtes-vous allée faire chez Kong Kôm Lamoon, du moins chez son « bras droit » ? Toucher le prix de la soirée du 28 janvier ?

Elle soupire :

— C'est pour cela que vous êtes ici ?

— Dites, quatre meurtres, ça justifie le voyage, non ?

— Quatre ? s'étonne-t-elle.

— J'espère ne m'être pas trompé dans mes calculs : N'Guyen, à l'*Auberge des Chasseurs ;* Fluvio, place de l'opéra ; son ami Marien Simon, à l'hôtel *Blatte et Confort ;* enfin votre époux sur son chantier de Boulogne.

Elle soupire :

— Qui est Marien Simon ?

— Le garçon qui a avoiné votre époux au cinéma pendant que Daniel Fluvio vous « contactait ». Ce n'est pas vous qui avez programmé son trépas ?

— Absolument pas !

Sur ce, le fourgon ralentit. Vire à angle droit, s'arrête. Un double grincement. Je te parie une main de masseur contre la culotte d'un zouave pontifical qu'on déponne un grand portail.

Effectivement, nous repartons, mais pour effectuer quelques mètres seulement.

Et puis, terminus !

Sitôt la porte rouverte, mon sens olfactif perçoit un âcre remugle de port. Odeur de mer, de rouille, d'huile chaude, de denrées accumulées. Très vite, je constate que le fourgon est arrêté devant une échelle de coupée qui donne accès au ventre d'un gros navire noir. Nos ouistitis nous font descendre et nous propulsent sans ménagements (comme on dit toujours dans les livres d'action ; « sans ménagements », tu remarqueras : « Il fut poussé " sans ménagements " contre le mur ») vers les degrés métalliques. On gravit queue leu leu, façon forçats de jadis embarquant à bord du *Lamartinière.* (Que moi, l'établissement où l'on voulait me voir devenir expert-comptable portait ce nom redoutable et mérité, car ce fut mon bagne à moi, qu'étais à ce point doué pour rien que j'en suis là, aujourd'hui !).

Ce barlu est mixte. Cargo pour fret, paquebot pour passagers. Pas sympa. Sombre. Des plafonniers munis de grillage. Les coursives peintes en vilain brun caca-de-constipé.

On est assumé chacun par deux bougres qui nous conduisent dans des cabines-cellules. Un bat-flanc, un tabouret, un chiotte, un placard de fer. Eclairage inexistant. Près du bat-flanc, des chaînes rivées à la cloison, terminées par des boucles s'adaptant aux chevilles. Je suis entravé. Les deux champions se retirent après avoir éteint. Aucun hublot. Le noir complet. Tu te rappelles Cassius Clay ? Son trou du cul ! En plus sombre, je crois. Propice au recueillement.

Je m'allonge tant mal que bien sur le bat-flanc. Le navire est agité par un halètement continuel, preuve que ses machines sont sous pression. Je me sens « rompu de fatigue ». Tiens, y a des lustres que j'avais pas usé de cette expression à la con. « Rompu de fatigue. » Un jour je t'écrirai un *book* rien qu'avec des clichés et autres lieux communs. Le langage, faut vigiler mot à mot si tu veux pas chuter dans la misère grisailleuse du pré-dit ! On est viandés par les facilités orales.

Moi, tranquillos — et pour cause ! — je passe en revue les événements. Je t'en refais pas la liste, tu les as encore dans le cigare. La Sonia, je découvre qu'elle est de première grandeur. Maîtresse femme ! Elle était au courant de la mort de son vieux, et je te parie un abonnement d'un an au *Gay Pied* contre un godemiché à musique, que c'est pas la cousine Laborné (Marinette) qui l'a affranchie. L'assassinat de l'architecte était programmé. Ma main au feu, ou dans ta culotte, ce qui revient au même ! Prémédité ! Je sens tout avec mon gros pif de bien-membré ! Des instincts pulsifs qui m'arrivent, flashent ma comprenette. Mémère est venue à Singapour cette fois-ci, spécialement pour laisser zinguer son julot en toute tranquillité. D'ailleurs, a-t-elle tenté d'ergoter dans le fourgon quand j'ai joué cartes sur table ? La seule chose qui me surprend, c'est l'assassinat de Marien Simon à l'hôtel *Blatte et Confort.* Elle l'ignorait. Et je la crois lorsqu'elle affirme. Quelle raison aurait-elle de chipoter à propos de cette mort alors qu'elle acquiesce pour les autres ?

Epuisé par la fatigue (tiens : j'ai pas dit « vaincu par la fatigue »), je sombre dans un vilain sommeil pour chauve-souris gavée.

Un mouvement, des bruits, pour un bref instant, me ramènent sur les rivages de la saumâtre réalité. Notre barlu qui appareille. On perçoit des grondements de turbines. Y a des heurts, des secousses, des raclements de chaînes. Où diantre allons-nous ? Le fait qu'on ne nous ait pas liquidés est-il un gage d'espoir ?

Je me rendors. Souche ! Voilà. Dormir comme une souche (un loir, un bienheureux). J'approfuse, tu vois !

Confusément, je devine qu'on sort du port. Le barlu du pilote lance sa sirène pour un long cri d'adieu. Notre navire y répond de même. Le pilote lâche encore un coup bref, nous idem. Salut ! Terminé ! Vogue la galère !

PANURGE

Me lève pour licebroquer. Une chiée que l'envie me taraude. Tout à mon épuisance, je différais. Mais à présent ma vessie ne veut plus jouer. Les vases communicants, c'est inexorable. On compose pas avec.

En pissant, je nous sens chahutés par la houle. Je visionne ma tocante à chiffres et aiguilles phosporescents. Elle marque onze heures vingt. De quoi ? Du matin, du soir ? J'ai perdu la notion. Je dirais plutôt du morninge car j'aurais pas pu contenir ma lancecaille si longtemps.

La faim me taraude. J'évoque avec nostalgie les plateaux d'amuse-gueules que proposait la valetaille de Martin Maldone, hier soir. J'ai souvenance d'un toast aux œufs de caille-mayonnaise qui me fait saliver. Il paraissait grillé à point, juteux, ce toast.

Oh ! merde, la bouffe ! La bouffe ! Sempiternelle. Claper, déféquer, claper ! La fête biquotidienne. La consolation. Un de mes potes boulimiques, un jour, en détresse, me fait soudain : « Heureusement que je mange ! » Le chéri. Fallait le voir tortorer de dos. Cette puissance dans les deltoïdes ! Ce lent mouvement de marée. La manière qu'il engloutissait de tout son corps. Mobilisation généralc des organes : estomac, foie, reins. La passivité admırable de ses boyaux, ce gros con ! « Heureusement que je mange. » Moi, ça m'est resté comme doctrine. Quand je vois quelqu'un atteint de plein fouet (autre facilité de langage) par le chagrin, je me dis, à travers ma compassion : « Heureusement qu'il va manger. » Le poulet chasseur, les rognons au madère, le gratin de fruits de mer restent un dernier secours. Le gus (ou la nana) en désespoir, lentement sera happé par ce qu'il happe. C'est la superbe connivence du bide et de l'âme. L'esprit prend sa source dans une bouteille de pommard.

Mangez, le temps fera le reste ! Bande de dégueulasses que nous sommes ! Tripes pleines ! Chieurs ! Cachons-nous, saligauds ! Faisons l'autruche devant le malheur, la tête dans la cuvette de nos chiottes !

A midi presque tapant, ma lourde s'ouvre. La lumière qui me saute aux yeux me fait mal comme un jet d'acide.

Ils sont encore deux, non masqués. En tenue de matafs. Des Asiatiques. Impavides, toujours. Tu ne distingues rien de leurs sentiments dans l'obliquité de leurs regards. Me désenchaînent.

Je boquille un peu en me déplaçant, biscotte l'ankylose. La coursive. Mes compagnons d'infortune quittent également leurs cabines-cellules.

— Salut, mec ! me lance Béru. Si j'te direrais comme j'ai roupillé comme la Loire ! J'sus fraise et dix pots !

On avance file indienne. Le Mastar qui arque derrière moi continue de jacter :

— T'sais, mon numéro d'isnose, hier soir ? Je croive savoir d'où qu'il m'vient. C'est d'puis qu'j'm'ai mis à rédactionner mes mémoires... J'ai la gamberge en surcharge. Ça turbine sous ma coiffe, grand. Un amphigouri pas possible. J'sus plein d' flashes, d'idées bizarrement étranges et singulièr-'ment curieuses. Comme des bouffées qui m'viendreraient on ne sait d'où. T'vois, c'te noye, tous ces bourgeois, j'leur causais comm' si j' voiliais déjà c' qu'y s'apprêtaient à faire : leurs emmanchages, pipes, broutages, branlettes et consort. D'la prémunition. J'avais qu'à dire et y f'saient comm' si c' s'rait été inductable. J' narrais c'que j'allais assister et y z'accomplissaient c' que j'esprimais. L'cerc' magique ! Tu prévoyes et ça s'opère ! Tu penses qu'c'est un pouvoir qu'j' détiènerais ?

— Probable, lui fais-je par-dessus mon épaule. Souviens-toi, dans cette partie de mes souvenirs que j'ai intitulé *Les Prédictions de Nostrabérus,* déjà tu montrais des dons parapsychologiques indéniables.

— Mouais, c'est textuel, convient Bérurier. Faudra qu'j' cultive ça à l'avenir.

L'avenir !...

Quel drôle de mot en ce drôle d'instant dans ce drôle de lieu ! Il a l'optimisme chevillé au corps, Pépère.

Un escalier nous fait accéder au pont supérieur. Là, le barlu devient plus sociable. Les parois sont revêtues de similiacajou (dans mes dictées de la communale, j'écrivais toujours acajou avec deux « c ». Je trouvais qu'un seul ne faisait pas sérieux. C'était de l'acajou de mauvaise qualité). Des baies vitrées laissent entrer le soleil à flots. On voit la mer d'un bleu de drapeau.

Notre cortège est guidé jusqu'au grand salon du navire. Pièce assez vaste, allant d'un bord à l'autre (1). Y a des couleurs pimpantes, des dorures. Une étendue de fauteuils pelucheux, une scène de spectacle avec un rideau rouge.

Ce qui me frappe, c'est de voir une haie de projecteurs braqués sur les sièges du premier rang. De face, une énorme caméra de télévision avec deux techniciens. Les matafs-gardes-chiourme nous font asseoir dans les fauteuils éclairés. Cette intensité lumineuse qui nous est prodiguée, après notre séjour prolongé dans la complète obscurité, nous brûle les paupières.

Nous voici placés sur un rang. Il y a : Maldone, Sonia, moi et Béru. Un technicien du son vient disposer des micros à la hauteur de nos bouches.

— Non, mais tu penses qu'on va participationner à un' émission d'téloche ! exclame l'Endoffé.

— On dirait.

Je me tourne vers Sonia Wesmüler. La trouve d'une pâleur de cire. De triste cire. Presque bleutée. Elle s'est défardée au fil des heures. La fatigue commence à diluer son visage. Sa beauté s'efface comme une aquarelle exposée au soleil. Les gonzesses, elles ont bien raison de se peinturlurer, sinon, passé dix-huit ans, elles ne ressemblent plus à grand-chose, privées du concours de la cosmétologie. Mais de toute manière, je les raffole.

Elle est aux aguets, Sonia. Traquée, vaincue, épuisée à force d'appréhension.

Je me penche sur elle.

— Douce amie, lui dis-je, avez-vous vu jouer *L'inconnu du Nord-Express ?*

— Je ne sais pas, dit-elle, l'esprit ailleurs.

(1) Enregistre ce détail, il aura de l'importance plus loin.
San-A.

— C'est l'histoire d'un type, dans un train. Il lie connaissance avec un inconnu. Se confie à lui. Son ménage marche mal, il n'est pas heureux. Alors, l'inconnu lui fait une étrange propose : il liquidera son épouse, après quoi, l'autre lui rendra sa politesse en supprimant une personne qui lui sera désignée. Je ne vous raconte pas tout le film qui est passionnant, mais ce point de départ me fait songer à votre propre histoire. Vous ne trouvez pas ?

Elle répond rien. Dans les vapes, la blonde !

Les hommes qui nous entourent sont nombreux : une quinzaine au moins ; chacun tient un pistolet-mitrailleur retenu à sa ceinture par une chaînette.

Le rideau rouge s'écarte. Au beau mitan de la scène, se trouve un écran de cinoche d'au moins trois mètres sur deux. Un Chinetoque manipule des bistounets sur un cadran proche. Tout cela s'opère en silence. Pas une seule fois je n'ai entendu parler l'un de ces hommes. Ce mutisme a quelque chose de fantasmagorique et donne à notre aventure un climat de cauchemar au ralenti.

L'écran s'éclaire. Une lumière vive mais laiteuse, striée de traits fulgurants s'empare de la toile. Et puis comme une image y naît. Une image chavirée, comme lorsque la caméra est livrée à elle-même. On a branché la sauce, mais on ne maîtrise pas encore l'objectif. On croit voir un mur, le haut d'un lit. Travelling à gauche qui capte une potence d'hôpital à laquelle sont accrochés, comme à un arbre sec, les étranges fruits que sont des poches en plastique gonflées de liquides à perfuser. On dévale le long d'un conduit de caoutchouc, jusqu'à un bras gracile. Une forte aiguille est enfoncée dans la veine d'un poignet, maintenue par du sparadrap. L'objectif, à présent manœuvre, descend le long d'un corps féminin allongé sur une couche et vêtu d'une chemise d'hôpital. Cette dernière cesse. On découvre des genoux, des mollets et tout à coup : le choc. Deux pansements couronnent des chevilles privées de pieds. L'effet ! Je te dis pas ! Saisissant. D'une brutalité sans nom.

Gros plan sur Chiang Li. Elle a la tête sur l'oreiller. Ses traits sont creusés, son regard presque clos, sa bouche retroussée par la souffrance.

— Bonjour, dit-elle. Je vous vois !

Là, l'objectif la perd, décrit un balayage en cent-quatre-vingts degrés, et capte un moniteur (on nomme ainsi, dans les studios, les postes témoin rendant compte de l'émission en cours à ses protagonistes). On nous distingue sur le moniteur. Coup de zoom. Oui, c'est bien notre quatuor. Nous sommes donc en communication directe avec « la Princesse » !

Retour rapide sur elle. Très gros plan, même. Sa bouche devient présente.

Elle dit :

— C'est triste, n'est-ce pas, qu'il vous manque les deux pieds quand vous avez vingt ans !

Un chuchotis. Elle tient par l'énergie, Chiang Li ; plus exactement par la haine. On devine en elle le feu implacable de la vengeance.

— Qu'est-ce ell' a dit ? demande le Gravos.

Je ne traduis pas, car la fille poursuit :

— Depuis mon lit de clinique, je vais vous juger tous les quatre. J'ai contre chacun de vous des griefs graves.

Là, elle est à deux doigts de vaper. Une main entre dans le champ et lui tend un minuscule flacon de porcelaine dont elle respire l'orifice avec préciosité. Il s'agit d'une de ces décoctions chinoises aux usages multiples : appliqué sur une blessure elle la guérit ; respirée, elle insuffle l'énergie ; prise par voie buccale, elle combat les maux de ventre ou les refroidissements. La panacée, quoi !

Effectivement, la blessée reprend de la vigueur. Elle se saisit d'une poignée pendant d'une potence et, en grimaçant, se remonte quelque peu sur son oreiller.

— Martin Maldone ! appelle-t-elle. Levez-vous !

Le beau-dabe de la môme Sonia se dresse, gauche et blafard. Il est déjà conditionné, le con, transformé en inculpé docile.

— Je vous accuse de m'avoir trahie, fait Chiang Li.

— Mais... non ! balbutie mollement le bonhomme.

— Si ! Vous étiez en affaires depuis très longtemps avec mon père, et c'est vous qui lui avez révélé mes activités secrètes. Niez-vous ?

Maldone hausse les épaules.

— J'ai cru bien faire... Vous êtes si jeune... Je vous connaissais peu tandis que j'étais au mieux avec Kong Kôm Lamoon.

Il se tait.

— Vous m'avez trahie ! répète Chiang Li avec une faroucherie que tu peux pas savoir combien.

Du coup, devant cette opiniâtrerie sans réplique, « l'accusé » baisse la tronche. Elle lui fait donc si peur, la « Princesse » ?

— Pour ce terrible préjudice que vous m'avez causé, je vous condamne à mort ! tranche l'irascible amputée.

— Oh ! non ! exclame le gus. Oh ! non !

Chiang Li appelle :

— O !

Un mec qui se tenait à l'écart dans le salon du bateau, s'avance face aux objectifs. Un type jeune, beau, chinois, vêtu à l'européenne. Il s'appelle « O ». Juste une voyelle. T'imagines sa signature à cégigo ? Un trou du cul ! « O ».

Chiang Li le considère sur son moniteur. Elle lui jacte en chinetoque. Le beau garçon écoute avec ferveur, puis s'incline. Il sort une boîte chromée de sa poche intérieure. Dedans, il y a une seringue pas plus grosse que mon petit doigt. Il s'approche de Maldone, lequel dénègue comme un perdu. Mais deux matafs « s'occupent » de lui.

Un qui le ceinture par derrière, le second qui lui tient le bras en avant.

Le beau Chinetoque enfonce son aiguille dans une veine. Ça ne dure pas plus de quatre secondes. Et encore, j'exagère ! L'opérant récupère sa seringue, la replace soigneusement dans sa boîte et va reprendre sa place initiale.

Maldone est hébété, flageolant. Plus livide, y a qu'un mort ! Et encore : un pas frais ! Les deux gardes le forcent à s'asseoir. Ils l'attachent au dossier de son fauteuil au moyen d'une sangle de cuir.

— Vous n'éprouvez rien, n'est-ce pas ? demande Chiang Li.

Il ne répond pas. Impossible. Hébété par sa trouille.

— Et cependant, reprend-elle, dans moins d'un quart d'heure vous serez mort, monsieur Maldone. Vous éprouverez brusquement une grande bouffée de chaleur. Tout se bloquera en vous et vous mourrez dans un violent spasme douloureux. A vous, madame Wesmüler ! Debout !

Sonia essaie de se dresser, mais elle chancelle trop et un garde la soutient.

— Vous, déclare Chiang Li, vous avez assassiné en France un homme à qui je dois beaucoup, mon cher N'Guyen Van Chou. Vous avez agi à l'instigation de mon père.

Quand elle évoque son père, son nez délicat se fronce et elle a une crispation des mâchoires. On pige que le grand respect et l'infinie tendresse dont elle entoure son géniteur dans la vie, c'est du royal bidon. Frime et poudre aux yeux ! Cette connasse est la vipère que Lamoon a chérie, gâtée, protégée. En réalité, et pour des raisons qui me demeurent obscures, elle le hait plus que tout au monde.

Elle continue :

— Reconnaissez-vous avoir fait sauter la tête de N'Guyen d'un coup de fusil ?

Sonia secoue la tête.

— Non, non, je...

— Si vous niez, je vais donner des instructions pour qu'on vous fasse avouer, car je suis certaine de la chose, et vous regretterez d'avoir menti !

Comme pour diverser, Martin Maldone émet une espèce de toux brisée. Il se crispe sur sa chaise, violit, se met à trembloter. Sa bouche est béante, son regard proéminent. Quelques soubresauts et il s'affaisse. (S'il n'avait pas les mains entravées, j'aurais écrit : « il touche son cœur et sa fesse », parce que c'est très drôle comme calembour. Ça fait beaucoup rigoler : les gendarmes, les douaniers, les stewards, les prêtres, les agents de maîtrise, les employés au Gaz de France, les garçons de bureau, les internes de garde, les pédés, les diplomates en poste dans un pays sous-développé, les caissières de grands magasins, les dames-pipi, les dames-caca (ce sont souvent les mêmes), les cosmonautes en orbite longue durée, les grands malades, les coureurs cyclistes, les chercheurs (quand ils ne trouvent pas), les détenus, les avocats, les juges d'instruction, les instituteurs en vacances, les professeurs en cours, quelques plombiers, mon éditrice, Bertrand Poirot-Delpech, Jean Dutourd, Jacques Attali, Jérôme Garcin, le nonce apostolique, Alain Prost, Maurice Rheims, Patrice Dard, D.D. Sardat, Antoine de Caunes, Lady Di, et six cent mille autres personnes encore dont je fournirai la liste un jour que je serai à court d'inspiration.)

Mais bon, ce con de Maldone n'ayant pas l'usage de sa main, impossible qu'il touche son cœur et sa fesse. Il s'affaise simplement, perdant, presque simultanément l'usage de la vie.

Ce décès annoncé paralyse Sonia.

Chiang Li murmure :

— Je l'avais prédit. Madame Wesmüler, je vous repose la question : avez-vous tué mon cher N'Guyen Van Chou ?

— Oui, fait Sonia dans un souffle.

Toujours dans ces instants de grande tension : « dans un souffle » ! Je te recommande bien. Ça fait partie du jeu. Si on n'avoue pas ce genre de truc « dans un souffle » t'as raté le coche. T'es un lavedu écrivailleur. Une bouche d'égout inutile.

— Très bien, fait Chiang Li, qui cache son triomphe en respirant de nouveau le contenu du flaconnet.

Un temps assez long s'écoule. Chiang Li récupère.

— Pour ce forfait vous méritez également la peine de mort, dit la gracieuse Chinoise, si ravissante en plein, malgré ses pattounes nazées, si exquise baiseuse, mon vieux !

Charogne, comme elle t'emporte le copeau ! Et ce frifri asiate ! Pas du tout le musc, il sent, comme l'eût affirmé Pierre Loto, lieutenant de vessie, qui prenait du rond comme un forcené, je m'ai laissé dire ! *Les Chinoises sentent le musc !* Incontournable dans les littérances extrêmorientales. Le musc ! Les cervidés, oui. Mais les Chinoises, elles sentent la chatte, comme nos pétasses de par ici. La chatte, mon vieux, avec tout son registre depuis la tendance 5 de Chanel jusqu'à la culotte négligée !

— A l'issue du procès, reprend-elle (elle appelle ça un « procès ». C'en est un, après tout, dans le style Ceaucescu. Un, deux, trois, quatre, cinq et cinq qui font dix : out ! Feu ! Poum ! Au tas ! Justice expéditive est faite), vous serez enfermée dans une cage grillagée lestée de fonte et plongée dans la mer. Mais vous serez immergée très lentement, centimètre après centimètre, jusqu'à ce qu'il ne reste plus que votre bouche contre le grillage. Asseyez-vous !

La pauvre Sonia ne se le fait pas répéter.

Dans son lit de souffrances, Chiang Li renifle encore un petit coup de regonflette. Ça ne lui donne pas des couleurs, vu ses origines, mais ça la requinque un chouïa. Elle présume de ses forces. Sa haine est trop impatiente. Elle aurait dû attendre plusieurs jours avant de nous « juger ».

— Debout, commissaire San-Antonio !

Son doigt léger (elle en a encore une dizaine aux mains, mais comme elle en braque un seul dans ma direction, c'est-à-dire vers l'objectif, je l'appelle « son » doigt) m'accuse.

— Debout ! rigolé-je (elle me fait rigoler tôt, comme dit Alfred, l'amant des Bérurier qui raffole l'opéra). Debout ! Non, mais ça va pas la tronche, ma poule ! Debout ! Devant une pétasse qui a pris ma bite dans les miches pas plus tard qu'hier ! Demandez à l'infirmière de garde un autre petit calmant. Vos accusations et votre sentence, « fleur de foutre », je me les mets au rectum, comme disent les éboueurs de chez nous.

Elle est hors d'elle, Ninette Lajaunie. Et c'est ça qui me botte. Mince satisfaction de la filer en renaud, mais satisfaction tout de même !

— A mort ! Fait-elle. A mort ! Pour vous, si viril, si fringant séducteur : le pal ! Le pal ! On vous le fera subir tout à l'heure devant ces caméras afin que je puisse suivre votre agonie de A à Z, comme disent les chiens d'Occidentaux (1). Quant à l'immonde pourceau à sexe d'éléphant assis à votre droite qui m'a privée de mes pieds, je lui réserve une fin horrible : il aura le sexe et les bourses tranchés au ras du bas-ventre et par ce trou d'eunuque ainsi pratiqué, on lui enfilera des mille-pattes géants qui mettront des jours à le dévorer. C'est là le pire supplice inventé par mes glorieux ancêtres.

— Elle cause de moi ? me demande le Mastar qui se voit désigné par la belle mutilée.

— Un peu, confirmé-je.

Je lui rapporte la sentence. Mon compère ne s'affole pas.

— Tu voudrerais d'mander à la môme si qué-qu'un cause français su' c'barlu de mes fesses ?

Je traduis en anglais.

— Pourquoi ? demande Chiang Li.

— Pourquoi ? transmets-je au Gravos.

— Pour montrer qu'qu'chose à la miss, il répond.

— Pour vous montrer quelque chose, traduis-je.

(1) Les Chinois ne disposant pas de notre alphabet, ils usent de la formule en disant : de chapeau pointu à maisonnette dans la rizière.

San-A.

Elle paraît quelque peu surprise. Puis, s'dressant à tout l'auditoire, elle lance :

— *Kiki co ze fran cé i ci go ?*

Un niac s'avance jusqu'aux caméras. Se prosterne, puis se touche les bourses, ce qui doit constituer le salut réglementaire de l'association selon un protocole préétabli. Chiang Li lui donne un ordre. Alors le gars se tourne vers Bérurier.

C'est un petit homme au crâne dégarni, genre tête de nœud. Il lui pousse juste du follet dans le cou, mais très long, et césarin attache cette mèche basse à l'aide d'un ruban noir.

— Je parle français, fait-il en zézayant un peu.

Sa Majesté a un léger acquiescement puis se met à mater le gusman dans les châsses, et crois-moi, c'est duraille de flasher un Asiatique à la pénétrante. Le Gros retrouve sa voix de médium.

— Mec, t'es un gars superbe, articule Béru. Tu sais qu'on est tes potes intimes, moi et mon ami. On est les r'présentants d'ton bon Dieu. C'est c'con de Fucius qui nous envoye biscotte y veut qu'on va faire d'ta pomme un vrai *king !* Riche à crever, tu s'ras. Bourré d'osier ! Et y aura tell'ment de nanas qui t' bricol'ront la membrane qu' tu devreras t' mett des pièges à loups autour du zifolo, pas qu'é t' l'arrachent à force d'trop tirer d'sus ! Maint'nant qu' t'as compris à qui dont t'as affaire, brin d'homme, sors c' couteau d' ta ceinture et viens nous couper ces ficelles qui nous empêchent d' gratter nos morpions.

L'homme, hypnotisé, dégaine et se penche sur Béru. Crac ! Il sectionne ses liens. Demi-volte, recrac ! il tranche les miens.

Alors là ça commence à tolléer dans le grand salon. Mouvements divers.

— Dis-leur qu'j'sus l' détroit d' messie et qui

s' calment ! grogne Béru. Qui z'écoutent mes pensées pisqu'y entravent que pouic à ma langue qu'est c' pendant la plus bioutifoule on the rock !

Le Mammouth est dressé sur ses pattes arrière. Les bras tendus vers l'assistance.

— Holà ! Holà ! Mollo ! Mollo ! il déclame superbement avec de tels accents que j'en ai la chair de coq.

Mais il est donc vraiment surdoué, cet être légendaire ? Nanti de LA CONNAISSANCE. LA PUISSANCE ET LA GLOIRE, c'est son fief, sa tasse de thé ! Les mecs se trouvent comme paralysés. Extatiques. Ils semblent écouter des voix lointaines montant de la nuit d'un marécage. A force de tension, Béru craque une louise. Il est immense, formidable avec ses bras musculeux. Sa voix de centaure (lui dixit) roule comme une tirade de Hugo dans le grand salon des Rothschild.

— On se calme, mes drôles ! *I am the kinge ! I am vot' god* à tous. Et même vot' *god* miché si y aurait des dames à bord ! P'tit mec ! Dis à tes frères qui dussent s'agenouilleler d'vant leur raie d'empteur.

Là, il file un nouveau pet de force quatre.

Depuis sa clinique, Chiang Li ne pige pas ce qui arrive. Ne comprenant pas les mots proférés par le Sublime, elle va d'un point d'interrogation à un point de suspension ; d'un point de suspension à un point d'exclamation ! Puis elle se met à bieurler en Chinois.

— Sana ! Va y couper l' jus, c'te connasse, avant qu'é m' casse la cabane ! m'enjoint Deculasse.

Je prends une démarche de somnambule sur le toit pour aller arracher le fil de l'écran vidéo. Vide et haut !

Vide intégral. Finie, la belle Chiang Li si « moignonne ». Elle doit les avoir à la caille, cette donzelle infernale. Se demander ce qui se passe à bord. L'origine de cette renversée. Mutinerie ? Révolution ?

Sa Glorieuse Majesté ordonne à son médium de libérer Sonia ; puis ensuite, aux deux (Sonia et le médium) de collecter les armes des assistants. Bientôt y a haut commak de pistolets-mitrailleurs aux pieds de Jules César.

Alexandre-Benoît prend acte de la situation. Il murmure :

— Bon, écoute, le grand, mon flirt (pour philtre) agit. Mais j' vas pas pouvoir garder ces figures de fifre ensuquées jusqu'à la Saint-Trouduc. Y sont trop nombreux à contiendre. J' m'illuse pas : mon don, c't' un coup d' flou, un charme ; mais au premier gazier qui va s' pointer, y se rompira et on s' mettrera à jouer *Volga en flammes* dans l' landeau (1). T'as une soluce à proposer, toi ? J'avoue qu' j' désempare. C'est telle'ment si coton déjà d'avoir pu juguler tout c' trèpe... J' voudrerais pas gâcher not' chance.

— Panurge ! fais-je.

— Hein ?

— As-tu entendu parler des moutons de Panurge ?

— De vue, mais j' pige pas l' rapport.

— Un mouton a été foutu à la mer et tous les autres ont suivi.

Je vais à l'une des baies vitrées du salon. Elle est

(1) Après moult suppositions, nous sommes enclins à penser que par « landeau », Béru entend « Landerneau » ; contraction spontanée dans le cerveau de ce grand penseur.

La Directrice littéraire.

bloquée total, question d'étanchéité. Je ramasse une pétoire et tire une salve dedans. Le gros verre sécurit fait des petits. Avec la crosse, je dégage l'ouverture.

— Renforce ton hypnose et dis-leur de sauter au jus.

— Y sont pas cons à c' point ! hésite mon ami.

— Ordonne-leur toujours, qu'est-ce qu'on risque ?

Le Mastar se tourne vers son « client » qui parle français.

— L' jour de gloire est arrivé, mon lapin ! annonce-t-il. T' vas dire à tous tes potes de t' suv' et tu saut'reras à la baille. Croive pas qu' vous vous noiererez, mec ! C'est l' Paradis qu' v' s'allez trouver ! Eau courante, tout confort ! Un bonheur complet ! Allez ! Exécution !

Le niac à tête de nœud jacte en toute ferveur. Puis il s'élance et plonge tête première dans le vide. Pas un temps mort ! Ses compagnons se bousculent pour l'imiter. Ça ressemble à une panique générale. Comme si le barlu cramait ! Ils jouent des coudes à qui se balancera avant l'autre. En un clin d'œil, le salon est vide. On en est médusés. Je me penche par la baie. Ce plongeon collectif a attiré l'attention des autres matafs du bord et ça s'évertue sur tous les ponts. Des ordres, des cris ! Bientôt le navire ralentit. On balance aux barboteurs toutes les ceintures disponibles, des gilets, des planches d'écoutille qui deviennent planche de salut.

— Il s'agit de profiter de cette monstre effervescence, dis-je. Prenons chacun deux pistolets et allons tenter notre chance. Vous nous suivez, Sonia ?

BUTTERFLY

Le bol ! Je vais te dire une bonne chose, c'est le bol ! T'as ceux qui en ont et ceux qui n'en ont pas. Nous, faut bien reconnaître que nous en avons tellement qu'on est obligés d'en entreposer au grenier pour l'hiver suivant.

La suite, ça se passe de la manière suivante.

Pour opérer le repêchage des zozos qui se sont propulsés à la baille, leurs potes ont stoppé le bateau mis, je te répète, les chaloupes au jus, et ouvert les portes coulissantes servant à l'embarquement, au niveau du pont C. C'est par cette vaste ouverture que nous sommes arrivés. Il y a un grand espace nu où les matelots s'agitent. Penchés à l'extérieur, ils aident la manœuvre de mise à l'eau des chaloupes, ce qui est moins rapide que tu n'imagines. Histoire de gagner du temps, ils se servent déjà d'un Zodiac à moteur manœuvré par deux gus, et ont commencé à repêcher quelques connards. Ils les hissent avec des cordages et un palan par la béante ouverture.

C'est alors que nous nous pointons, Sonia, le Mammouth et Bibi. Ces enfoirés nous tournent le dos, accaparés qu'ils sont par leur manœuvre. On se concerte d'un seul coup d'œil, Bibendum et moi. Un double rush ! Irrésistible.

Vlouf ! Vlouf ! Vlouf ! Vlouf ! En une preste démenade d'épaules, de hanches, de pieds, on a fait table rase en virgulant les sauveteurs.

Voilà tout ce beau trèpe qui pattouille et s'étouffe autour du Zodiac. Alors, le formidable San-Antonio, celui qui remplace le beurre, les maris absents, l'onguent gris et les godemichés en réparation, empoigne la corde destinée à hisser les rescapés et, avec une souplesse de sapeur-pompier, se laisse couler jusqu'à l'embarcation de caoutchouc. Là, pas à tergiverser : j'active à la crosse d'acier bruni ! Tous les zigs au jus ! Coup au menton, coup sur la tempe. J'y vais de la savate également. Faire lâcher prise aux prétentieux qui veulent grimper dans le Zodiac (c'est bon signe !). Une embardée. C'est le Mammouth qui m'a rejoint, manquant renverser le canot.

— Sautez ! Vite ! crié-je à Sonia, penchée à trois mètres au-dessus de nous.

Elle hésite. Elle a tort. On entend crépiter une arme à répétition. La mère Wesmüler soubresaute et choit, criblée de balles. La mer se teinte de rouge. Un Chinois armé se pointe pour nous jouer un air de moulinette. J'ai le réflexe opportun de l'asperger le premier.

Ensuite, je veux pas le savoir : le large ! N'importe lequel ! Je lance le moteur plein pot. Le Zodiac fait une cabriole et se met à tressauter sur l'eau. Depuis le barlu, on nous canarde, mais je louvoie, comme disait Colbert (1).

(1) Faut un minimum d'instruction pour piger, c'est pourquoi t'attarde pas, continue !

San-A.

Béru, agenouillé, répond par des tirs au coup par coup. Il adore cartonner. Lui, il en est resté aux fêtes foraines de Saint-Locdu-le-Vieux, l'époque où, pour la première fois, il a eu une carabine entre les pognes. La distance croît entre nous et le barlu.

Ensemble, nous exhalons un grand soupir. Mon âme s'élève vers mon créateur qui n'a pas permis que je sois encore décréé. On est passés près de la cata, mon drôle. Quand je pense aux délices que Chiang Li avait prévus pour nous, j'en claque des ratiches rétrospectivement.

— Un vrai velours ! déclare le Mammouth par-dessus le ronronnement du moteur.

Je me repère au soleil. Nous sommes en pleine mer de Chine méridionale, loin des côtes. Le moteur de trente-cinq chevaux n'est alimenté que par une nourrice d'une cinquantaine de litres. Pas de quoi faire le tour du monde ! J'en tapote les flancs, sur la partie supérieure ça sonne le creux !

Mais je t'ai dit que nous avions du bol.

— C'serait-il pas un barlu qu'j'voye su' l'bâbord d'not' tribord ? questionne mon vieux loup de mer.

Pas à lésiner ! Je mets le cap sur la tache blanche signalée par mon Christophe Colombin de service.

Sur la mer calmée
Un jour une fumée...

Ah ! chère mère Butterfly, comme je pense fort à toi en cet instant d'extrême action. Avec onction. Et extrême onction.

Il faut nous placer sur la trajectoire du yacht aux lignes pures qui se précise, tandis que, loin derrière, notre bagne flottant n'est plus qu'un point indécis, mangé par le halo tremblant de l'éloignement.

Je crois à un cauchemar.

Le barlu blanc ralentit effectivement et donne un coup de sirène bref, preuve qu'il nous a repérés. Le cauchemar, c'est quand nous sommes en mesure de lire son blaze sur la coque immaculée, écrit en élégants caractères bleus sertis de noir. Je te le dis ?

Il s'appelle *Chiang Li II*.

Après vous, s'il en reste !

Où le cauchemar devient un simple rêve, beau comme une lune de miel aux îles Borromées, c'est lorsque, notre Zodiac stoppé près du somptueux yacht blanc ultramoderne, nous apercevons deux silhouettes accoudées au bastingage et qui nous adressent des signes de bienvenue.

Qui vois-je, côte à côte ?

T'aimerais que je te le donne en mille ?

T'as pas les moyens. Je préfère t'en faire cadeau.

Kong Kôm Lamoon, mon vieux.

Et Pinaud.

Ça te va comme coup de théâtre, ou s'il faut rajouter du poil à gratter autour ?

CHEF

Il me fait songer à une chanson que fredonne fréquemment mon pote Hossein : *Voyez-vous, le joli bébé rose ?...*

C'est vrai qu'il ressemble à un bébé rose, Chilou. Tu sais quoi ? Il dort pas en suçant son pouce, mais presque. Elle a son poing sur sa bouche, cette chère vieille ganache !

Terrassé par le décalage horaire, voilà plus de soixante plombes qu'il en écrase. Il a bien dû se lever pour licebroquer, pourtant, non ? Mais alors, façon somnambule. Au radar, sans éclairer. S'est dégainé coquette à tâtons, a pissé au jugé et vite est revenu se pailler, le Dabuche.

Un cas !

Je lui secoue doucement l'épaule.

Il faudra que je réitère mon geste en appelant de plus en plus fort : « Monsieur le directeur ! Oh ! Oh ! patron ! » pour qu'enfin il exhale un long très long soupir et remonte ses stores. Il ébroue de la clape. On comprend que sa menteuse est collée au palais, qu'il a du fading dans le râtelier, la salive amère, l'estom' en délabrance.

— Hein ? Quoi ? Oh ! c'est vous, San-Antonio. Je

crois que j'ai somnolé un peu. Je voulais simplement me reposer, mais vous savez ce que c'est que le décalage horaire... Un bon bain, une collation et nous allons attaquer notre enquête ! Quelle heure est-il ?

— Dix-huit heures, monsieur le directeur.

— Bigre ! J'ai dormi tant que cela ?

— Il faudrait nous presser un peu, monsieur le directeur, notre avion décolle dans une heure et si nous le ratons nous n'aurons pas d'autre vol direct avant deux jours.

— Notre avion, quel avion ?

— Celui du retour. L'enquête est terminée, tout est solutionné.

Il se dresse sur un coude.

— Ah ! ça, garçon, quelle est cette plaisanterie de mauvais goût ?

— Ce n'est pas une plaisanterie, monsieur le directeur. Vous en êtes à votre troisième jour de sommeil. Pendant que vous récupériez, j'ai fait le nécessaire, aidé, j'en conviens, de Bérurier et Pinaud qui ont été bien inspirés en nous suivant jusqu'à Singapour.

Il se dégage du plumard, pose ses pieds très blancs aux ongles bien taillés sur la descente de lit.

— San-Antonio, confiez-vous à moi : vous êtes ivre-mort, n'est-ce pas ?

— Téléphonez à la réception pour vous informer de la date, patron, soupiré-je.

Il le fait. La réponse l'anéantit.

— Seigneur ! C'est une coalition !

— Monsieur le directeur, avez-vous remarqué que vous n'étiez plus seul dans votre grand lit ?

Il a un sourire flottant.

— Voudriez-vous dire que... que vous m'avez

trouvé l'une de ces gentilles masseuses dont je convoitais la compagnie ?

— Pas de masseuse, monsieur le directeur : un masseur.

Il se retourne d'une pièce, regarde, touche, bondit hors du lit.

— Quel est cet homme, nom de Dieu !

Je crois que je l'entends jurer pour la première fois, Chilou. Lui toujours si maniéré, châtié, imperturbablement mondain.

— Un garde du corps, monsieur le directeur.

— Mais !

— En effet, monsieur le directeur.

— L'on dirait...

— Il l'est, monsieur le directeur.

— Qu'il est mort !

— A ne plus en pouvoir, monsieur le directeur.

— Qui l'a placé dans mon lit ?

— Bérurier et Pinaud, monsieur le directeur. Il fallait le planquer d'urgence, c'était pour nous une question de vie et de mort !

— C'est charmant ! Ces deux faquins se croient tout permis. Depuis combien de temps cette affreuse chose se trouve-t-elle à mon côté ?

— Je ne sais au juste, au moins une trentaine d'heures !

— Et moi qui rêvais que je dormais avec une fille superbe !

— C'était un rêve, monsieur le directeur.

— Vous vous rendez compte du scandale lorsqu'on va découvrir que j'ai reposé au côté d'un macchabée ! Et quel ! Un Jaune ! Je serai déshonoré.

— Onc ne le saura, monsieur le directeur, car on va venir le chercher et l'emporter discrètement.

— Vous êtes sûr ?

— Positivement, monsieur le directeur.

— Et qui ?

— Kong Kôm Lamoon.

— Le roi des bazars ?

— Lui.

— Mais...

— Peut-être serait-il préférable que je vous fasse d'ores et déjà un rapport oral des événements, monsieur le directeur ?

— On ne pourrait pas passer dans votre chambre pour ce faire ? La présence de ce mort m'incommode !

Il renifle son pyjama.

— Je ne sens rien ?

— Rien d'autre que « Eau sauvage » de Dior, le rassuré-je.

Nous franchissons la porte de communication, quittant ainsi l'endroit où le défunt repose pour gagner celui où il a été réalisé.

Je commande du thé à Pépère, ainsi qu'une montagne de toasts et des saucisses grillées. Puis j'attaque mon récit qu'il écoute d'une oreille prudente, voire hostile.

— En somme, patron, nous nous trouvons en face d'une affaire de succession au trône, telle que l'Histoire universelle en fourmille y compris l'Histoire de France. Lamoon, un roi des affaires et de la mafia sud-asiatique, a une fille qu'il chérit : Chiang Li. Il la comble, la protège, l'élève dans le luxe le plus raffiné. Mais l'enfant unique, l'enfant chérie, au lieu de communier avec lui dans la tendresse, le hait profondément. Pourquoi ? Parce que Kong Kôm Lamoon, il y a dix ans, a fait trucider sa mère qui le trompait. La fille l'a su et en a conçu un formidable désir de vengeance. Chiang Li est un être tout à fait exceptionnel. L'une des filles les plus sublimes, physiquement, qu'il m'eût été donné de rencontrer.

— Ah ! parce que vous l'avez rencontrée ?

— Mieux que cela, patron.

Il s'arrête, un toast en forme de mors à cheval devant la bouche.

— Voudriez-vous dire ?...

— Je le dis.

— Baisée ?

— Merveilleusement, dans le lit que vous voyez là !

— Salaud ! fait-il admirativement. Une Chinoise ! Mon rêve ! Et nous allons reprendre votre saloperie d'avion sans que...

— Voulez-vous que nous différions notre rctour ? proposé-je charitablement devant l'ampleur de son désarroi.

— Oui, dit-il catégoriquement. Il est impensable que je ne sois venu à Singapour que pour y dormir. Il va falloir me trouver du cheptel, garçon ! Du surchoix ! Grâce et technique ! Je veux des culs enchanteurs, des chattes inoubliables. Des femmes reptiles ! Des professionnelles de très haut niveau. Vous allez organiser le festin de ma vieille bite, San-Antonio ! Son jubilée ! Son gala d'adieu ! Je veux un tapis de lèvres, une tornade de feuilles de roses, une jungle de chattes, des plantations de clitoris à perte de vue.

« Je suis tellement reposé ! Neuf ! Ardent ! J'entends qu'on me bricole de partout, Antoine. Qu'on me lèche le filet, l'oignon, les bourses ! Je veux des partenaires en pluie, comme sur un tableau de Magritte. Une pluie de putes raffinées, vous m'entendez ? »

— Je suis convaincu que Kong Kôm Lamoon se fera un plaisir de vous organiser cela.

— Merci ! Quel brave homme ! Je sens que je deviendrai son ami. Je l'aime déjà ! Vous pensez que je pourrai l'appeler Kong Kong ? Le tutoyer ? L'inviter à chasser la grouse en Ecosse ?

— *Why not?* Puis-je poursuivre ?

— J'attends !

— Donc, cette fille fabuleuse, aussi intelligente que belle, aussi dépravée qu'intelligente...

— Dépravée, vous dites ? Oh ! mon Dieu, comme vous avez de la chance de me l'avoir pinée, cette connasse de merde ! Dépravée ! Ce pied géant, San-Antonio ! J'en salive. De partout ! Dépravée ! Y a qu'à vous que cela arrive, petit cochon !

— Et aussi cruelle que dépravée, conclus-je envers et contre tout, malgré les clameurs séniles du Vieux. Cette fille, dis-je, a décidé de supplanter son père. Prendre sa place, tel était son but. Shakespearien, n'est-ce pas ?

— Pas de trémolos littéraires, au fait, commissaire ! il me sort ce vieux trognon de chou gâté !

Douche écossaise, l'apôtre.

— Elle commence à séduire un proche collaborateur de son paternel, comme qui dirait son bras droit, le dénommé N'Guyen Van Chou.

— Mort accidentellement à l'*Auberge des Chasseurs,* hé ? triomphe Achille.

— Exact.

— Vous voyez : je sais tout, Antoine. On croit m'apprendre des choses, me faire des révélations, mais Achille a tout sous sa superbe calvitie. Il laisse dire pour contrôler l'efficacité de ses subordonnés ; en fait, la vérité, il la détient d'instinct, dès la première heure, pleine et entière. Poursuivez, que je me rende compte.

Son numéro de vieux comique à la ramasse, je le

connais, Chilou ! Cet orgueil incommensurable qui l'oblige à tenir les rênes et le fouet et à faire sien le plus léger détail d'une enquête, ça ne m'irrite plus à force de blasance. Il est ainsi, le sacré maniaque.

— Chiang Li a circonvenu ceux qu'il fallait et elle est entrée dans l'organisation du « Singe Blanc ». Elle y a pris du galon, tout cela à l'insu de son père. Superbe travail de sape de grand style. Boulot de termite. Elle grignotait l'empire Lamoon par la base, ou plus exactement, l'investissait sournoisement, mine de rien. Officiellement, elle demeurait la gentille fifille dévergondée à son papa. En réalité, elle prenait sa place. Et lui, aveuglé par son amour paternel, se laissait fabriquer comme un bleu.

« Et puis, au début de l'année, un grain de sable a grippé les rouages de la machine inexorable de la belle. Un garçon s'est pointé à Singapour. Un désœuvré, un presque voyou à la bite infernale. Français. Un pas grand-chose ! Un rien du tout ! Daniel Fluvio. Bricoleur dans le cinoche, mais grand organisateur de partouzes. Il s'était incorporé à l'équipe d'un film, employant ses nombreux temps mort à mettre sur pied (si je puis dire) des parties de trou du cul. La vedette du film, le producteur ricain, le cascadeur, d'autres, beaucoup d'autres !

« Au bout de quelques jours, la chose s'est sue dans la *jet society* frelatée de Singapour. Fluvio a tout de suite connu un franc succès car un tas de gens voulaient « en être ». Entre autres Martin Maldone, homme d'affaires européen établi ici. Un gars tous terrains, bizarre : il tripote dans des combines louches, épouse en seconde noces une Hindoue, se passionne pour la parapsychologie et raffole des parties fines. Le voilà donc « client » de Fluvio. Il n'est pas seul de l'endroit. Chang Li, cette exaltée du frifri, alertée par la rumeur, se fait " introduire " (vous me pardonnerez le terme, patron) dans le cercle des exaltés du cul rassemblés par Fluvio. En devient, là comme partout, la reine ! Car elle est une star des sens, patron. »

— Taisez-vous, Antoine, je sécrète ! râle le Birbe, un escargot dans la saumure ! Et alors ?

— Elle consacre dès lors une partie de ses journées aux fêtes galantes du jeune Français, à croire que les trouvailles de notre compatriote priment les raffinements asiatiques.

— Toujours pareil, émet Achille : chez nous, on n'a pas de pétrole, mais on a une bite ! Et on sait la faire fonctionner !

— C'est cela, applaudis-je. Superbe définition, monsieur le directeur.

— Et après, mon enfant ? roucoule le pigeon déplumé.

Tiens, je croyais qu'il savait tout, le Fameux ?

— Chiang Li commet alors une grave imprudence. Pendant ses séjours prolongés chez Fluvio, elle continue de vaquer à ses « affaires occultes » et téléphone souvent depuis la suite du gredin. Ce petit mec a du flair. Il sait qui est Chiang Li, s'est même constitué un petit album souvenir la concernant, car elle le fascine. Il la sait richissime et ça suffit.

« Curieux de la voir s'isoler régulièrement pour lancer des coups de fil, ce madré entend s'informer et, en douce, branche un magnéto sur sa ligne. C'est ainsi qu'il recueillera des communications qui, hélas, ont lieu dans un dialecte dont il ne sait rien. Il consulte alors Martin Maldone. Celui-ci parle le malais-chinoqué. Ces enregistrements sont pour lui une révélation : Chiang Li est devenue l'une des têtes secrètes du " Singe Blanc ". Son effarement est total. Il demande rendez-vous à Kong Kôm Lamoon et lui déballe le pot aux roses.

« Ce que furent les premières réactions du roi des bazars, je ne le lui ai pas demandé. L'incrédulité, probablement. Mais un bandit de son envergure se doit de creuser la question, de " l'explorer à fond ". Il ouvre une enquête et finit par réaliser que Maldone ne l'a hélas pas berluré. Il est bel et bien trahi par sa chère enfant, et également par N'Guyen, son âme damnée. Dans un premier temps, il décide la mort de cet homme. Mais il s'agit d'y aller mollo. Son décès rapide et brutal risquant de donner l'éveil au clan Chiang Li.

« C'est Maldone, son allié désormais, qui va trouver la solution. On va envoyer N'Guyen pour affaires en France et là-bas, Sonia, sa belle-fille, veillera à ce qu'il ait un accident. Etrange personnage que Mme Wesmüler. D'où vient-elle ? Qui est-elle ? Une aventurière sans doute, au passé chargé, qui a fait un mariage discret pour se faire oublier. Vous pourrez, si son cas vous intéresse, mettre des enquêteurs sur le sujet, monsieur le directeur. Et également sur Martin Maldone. Cela dit, l'un et l'autre ont péri dans cette étrange aventure et, selon la formule consacrée : " l'action de la justice est éteinte ". »

Le Dabe boit une gorgée de thé.

— Paix à leurs sombres âmes, déclame-t-il. Nous avons assez à faire avec les vivants pour ne pas perdre du temps sur le passé des morts.

— Amen, applaudis-je.

Je perçois un froissement dans la pièce voisine. Je vais couler un œil ultra-discret. Deux malabars, poussant un vaste chariot à linge sale, déménagent « la literie » du Vieux.

— Donc, la Wesmüler a tué N'Guyen, s'impatiente ce dernier.

— Nous n'en doutions pas, patron. Hélas pour elle, un garnement l'a aperçue sur le balcon. Et alors, c'est là que, comme souvent, le hasard nous en met plein la gueule : le petit brigand en question est un ami de Fluvio. J'ai appelé Paris et j'ai eu Jérémie Blanc. Il a pu retrouver le dénommé Michel Cramouillet à Lyon, d'où il est originaire, planqué chez une vieille tante à lui. Le gars a avoué. Il a bel et bien raconté l'histoire de l'*Auberge des Chasseurs* à son ami Daniel, lequel a compris le parti qu'il pouvait en tirer.

« Le côté inouï de la chose, monsieur le directeur, c'est qu'il a voulu faire chanter Sonia *sans savoir qu'elle était la belle-fille de Maldone.* Le magnéto et la cassette de Chiang Li dans sa voiture, *étaient sans rapport avec la femme Wesmüler.* Il conservait ce matériel en se disant qu'il aurait peut-être la possibilité de faire traduire la cassette en France car Maldone avait noyé le poisson à propos du texte mais le petit bandit avait flairé du louche, et le louche, c'était son violon d'Ingres. Il savait qu'il détenait un truc explosif et attendait son heure.

« Bon, j'en reviens au cinéma, quand, avec la complicité de son pote Marien, il fixe rendez-vous à Sonia après avoir évoqué la nuit du 28 janvier pour l'ébranler. Elle, que fait-elle ? Elle appelle son beau-père à Singapour, lequel alerte Lamoon. Celui-ci dispose de moyens d'action illimités. Que la jeune femme se rende place de l'Opéra, “ le nécessaire sera fait ”. Et le nécessaire a été fait. »

Il a fini de se colmater les brèches, le dirlo. Il tamponne d'un geste léger ses lèvres minces avec sa serviette.

— Et la mort du mari ? Hein, gros malin ? Vous avez l'explication de la mort de l'architecte ?

— Vous préféreriez me la dire ?

Et alors, tu vas voir le type pas croyable qu'il est, Chilou dans son genre. Baderne, hâbleur, vieux con, jusqu'au bout des ongles, mais chef flic pourtant. Sachant dégainer quand il le faut.

— Si vous voulez, Antoine. Depuis la mort de N'Guyen, il a des doutes à propos de sa femme. Mais comme il est amoureux, il les refoule. Seulement, l'agression du cinéma le fait réfléchir et alors il regimbe, questionne, montre les dents. La belle Sonia qui commence à en avoir assez prend la décision fatale : elle alerte Maldone, comme elle l'a fait pour Fluvio. Son beau-père lui conseille de le rejoindre d'urgence. En son absence, on clarifiera la situation à Boulogne-Billancourt.

Je méduse pis que le radeau que tu sais. Comme si les murs de Géricault me chutaient sur la bouille !

— C'est juste, patron. Comment savez-vous cela ?

Et lui, très simple :

— Mais, petit con, parce que *je sais tout !*

Il n'y a que vaille que vaille !

J'achève le récit de nos exploits à Singapour. Ma rencontre avec Chiang Li, puis avec son papa. La scène de radada dans ma chambre, l'intervention du garde du corps, celle miraculeuse du Gros qui me sauve *in extremis,* le bordel enchanté avec sa machine à broyer les étalons fourbus. Et puis le reste. Tout le reste et son train d'enfer... Le mage Béru. Notre évasion grâce au don surnaturel de Bibendum...

— Comment se fait-il que vous ayez été repêchés

par Kong Kôm Lamoon, San-Antonio ? C'est inimaginable !

— Le génie pinulcien, monsieur le directeur.

— Qu'entendez-vous par là ?

— Au cours de la séance d'hypnose, des gens du « Singe Blanc » sont intevenus. Ils nous ont donc embarqués, Maldone, Sonia, Béru et moi, mais n'ont pas pris Pinaud pour la raison bien simple qu'ils ne le connaissaient pas puisque le bon César ne faisait pas partie de l'équipée au bordel, il attendait avec son vélo-pousse dans la rue.

— Et alors ?

— Au moment du rapt, Pinuche dormait, brisé de fatigue. Quand il s'est réveillé, on l'a mis au courant de ce qui venait de se passer. Alors, cet être obscur mais génial a fait fonctionner ses vieilles méninges moisies, monsieur le directeur. Le chef du commando avait montré à l'assistance une statuette représentant un singe blanc, pour bien signifier à tous qu'ils devaient s'écraser sous peine de sanctions. César a tenu le raisonnement suivant : « L'organisation du " Singe Blanc " a retrouvé San-Antonio et Bérurier sur l'ordre de Chiang Li puisque Lamoon, lui, ne connaît que Sana. Si le " Singe Blanc " obéit à cette fille, c'est parce qu'elle la dirige. D'après tout ce que je sais, à la faveur des derniers événements, si elle la dirige c'est à l'insu de son père. »

« Dûment interrogée, la belle Hindoue que Maldone a épousée a conforté Pinuche dans cette hypothèse. Du coup, mon brave ami a tenté un coup de poker : il s'est mis en rapport avec Lamoon pour lui réclamer de l'aide. Comme Kong Kôm Lamoon sait depuis plusieurs mois le rôle que joue Chiang Li au sein de l'Organisation et qu'il la surveille, il a deviné qu'on nous avait embarqués à bord du rafiot pour aller régler nos comptes en haute mer. Du coup, il s'est lancé à la poursuite du bateau avec son yacht rapide comprenant qu'il lui fallait prendre position et profiter des mutilations de sa fille pour récupérer son " trône ". »

— Venez avec moi, je vais me préparer, mon bon.

On repasse dans la piaule du Dabe. J'assiste à sa rasée, à son lotionnement, à son talquage. Il guirelille, Chilou. Chantonne.

— En somme, me dit-il, j'aurai éclairci cette sombre affaire en moins de trois jours, n'est-ce pas ? C'est pas mal !

— C'est même très bien, monsieur le directeur. Il ne subsiste qu'un ultime mystère.

— Allons, j'écoute ? De quoi s'agit-il ?

— L'assassinat de Marien Simon à l'hôtel *Blatte et Confort*. Là, je le reconnais, je suis perplexe. Qui est allé trouver ce garçon et, le voyant neutralisé, l'a bassement, crapuleusement, tué ?

Achille passe un mignon caleçon à fleurettes pour affronter « ces dames » asiatiques, objet de sa tenue.

— Je sais ! fait soudain celui qui sait tout.

— Alors sauvez-moi avant que je ne meure de curiosité, monsieur le directeur.

— Crime gratuit, San-Antonio. Crime sadique, crime de névrosé ! Savez-vous pourquoi on l'a tué, lui ? *Parce que vous l'aviez rendu inoffensif !* Il était offert, ficelé, muselé. Téléphonez donc à Jérémie Blanc pour lui dire de s'occuper de la fille qui habitait l'appartement de Fluvio et de ses copains camés. Abasourdis par l'assassinat de leur ami Daniel, ces épaves sont allées rendre visite à Marien, son complice, son auxiliaire, son âme damnée, pour chercher conseil. Ils l'ont trouvé complètement neutralisé, à disposition. Alors leurs sombres instincts de frappes ont pris le dessus. D'ordinaire, ce type les dominait, les narguait. Il était l'amant de Fluvio. Alors ils l'ont mis à mort, San-Antonio. Comme on prend son pied ! Ils l'ont tué pour rien, à l'œil, certains de l'impunité.

Je me permets un geste privauteur en plaçant mes deux pattes de devant sur les épaules du Vioque.

— Mais bon Dieu, c'est bien sûr, patron ! Vous êtes un vrai chef !

— En avez-vous jamais douté, San-Antonio ?

— Non, monsieur le directeur, jamais !

PILOGUE

— Voulez-vous que je vous dise, monsieur Bérurier ? Votre fameux don, c'est de la couille ! San-Antonio m'en rebat les oreilles, mais je sais qu'il s'agit d'une honteuse poudre aux yeux. Je ricane ! Regardez-moi ricaner : hi, hi, hi !

— Là, vous bêchez vilain, m'sieur l'direqueur, proteste le Dinosaure, j'sus prêt à vous fournir une démonstrance, si vous voudriez.

— M'abaisser à cela ? Un homme comme moi, avec un homme comme vous ! Une démonstration de votre crétinisme ! Ah ! ça, monsieur, pour qui me prenez-vous !

— Pour saint Thomas, répond Alexandre-Benoît.

Il est interrompu par l'arrivée d'un émissaire de Kong Kôm Lamoon. Tout de blanc et de galons vêtu ; souriant, à courbettes, ce messager s'incline vingt fois et déclare :

— Mon maître charge moi remettre présent à monsieur directeur Police française.

Il s'efface et désigne six admirables créatures dans le couloir de l'hôtel. Admirables est trop piètre, je lui préfère « sublimes ». Le nec plus ultra ! Des beautés asiates au corps parfait. On en frissonne, les quatre, de les regarder. C'est la bouffée de chaleur instantanée, nord-sud, est-ouest. En profondeur.

Le Vieux se met à roucouler :

— Arrrroû roû oû oû... Faites-les entrer dans ma chambre, je vous prie. Antoine, avez-vous de la monnaie pour donner un pourboire à cet aimable commissionnaire ?

Les superbes et merveilleuses entrent chez Chilou en roulant des miches. Lui, il fait la roue. Il gémit d'aise. Il prébande ! Détrempe son calbute à fleurettes.

— Messieurs, vous me pardonnerez de vous lâcher. Je ne saurais résister cinq minutes de plus. Je... Pourquoi me fixez-vous de la sorte, Bérurier ? C'est indécent ! Ce que je vais connaître est paradisiaque. Ces chères jeunes filles m'attendent. J'ouvre la porte ! Oh ! Seigneur ! Il y en a déjà trois de presque dévêtues ! Où ont-elles trouvé des culottes aussi fabuleuses ? Et des jarretelles comme jadis ! Mais qu'est-ce qu'elles me font, les friponnes ! Attendez, mes chéries, j'arrive.

Il fonce dans sa chambre.

— Il ne va pas s'ennuyer, bêle la Pine. Joli lot. Personnes agréables et si parfaites !

— M'étonnerait qu'il en fasse grand-chose, assure Béru. Ah ! y croive pas en mon don, ce charognard !

Le bigophone retentit. C'est *the king,* le vrai : Kong Kôm Lamoon qui demande si son cadeau est parvenu à destination et s'il est apprécié.

Je le rassure.

— Jamais notre cher directeur n'a reçu de plus royal présent. Puis-je vous demander des nouvelles de Mlle votre fille ? risqué-je.

Léger temps. Ai-je gaffé ?

— Elle est dans un état assez critique depuis ce

fâcheux accident de la circulation qui lui a sectionné les deux pieds, me répond Lamoon. Je l'ai installée près de moi. Coupée de tout et bien soignée, elle se remettra petit à petit, je l'assumerai complètement jusqu'à la fin de mes jours et, peut-être, des siens !

Son ton glacé me file les flubes. M'est avis qu'elle va déguster, la Princesse, à compter de tout de suite. Fini les complots, les coups d'Etat, les prises de pouvoir anticipées. Lamoon la tient d'une main de fer, sa gamine perverse. Il pourra chiquer les papa gâteaux tout son content ! Jouer papa-maman à lui tout seul.

On raccroche.

Béru qui regarde par le trou de la serrure jubile :

— Oh ! ce biscuit détrempé ! La vraie patte à vaisselle, Pépère ! Il roule sur la jante. Et pourtant c'est pas faute qu'elles lu fissent pas des combines rarissimeuses ! Mazette ! Un doigt dans l'œil de bronze, les vestibules léchés à deux en même temps ! Un vibromassage su' l'petit soldat ! Et on y promène ternativement deux chattes humides su' le tarin ! Oh ! le con ! La Faillite nous voilà ! Son bistougnet, tu croirerais de la gomme à mâcher mâchée. De la pâte à pain pas levée ! J'voudrerais le prend' en photo !

Un instant encore s'écoule. Le Gros recule. La porte s'ouvre. Achille, la queue pendante paraît, fantôme de l'impuissance.

— Ecoutez, cher Bérurier, murmure-t-il, je plaisantais tout à l'heure. D'accord, vous avez un don. Un bon grand gros don. Mais de grâce, finissez vos conneries !

FIN

Achevé d'imprimer en avril 1990
sur les presses de l'Imprimerie Bussière
à Saint-Amand (Cher)

— N° d'imp. 740. —
Dépôt légal : mai 1990.

Imprimé en France